KB060198

최상위 사고력 Pre B

펴낸날 [초판 1쇄] 2019년 3월 26일
펴낸이 이기열
대표저자 한헌조
펴낸곳 (주)디딤돌 교육
주소 (03972) 서울특별시 마포구 월드컵북로 122 청원선와이즈타워
대표전화 02-3142-9000
구입문의 02-322-8451
내용문의 02-323-9166
팩시밀리 02-338-3231
홈페이지 www.didimdol.co.kr
등록번호 제10-718호
구입한 후에는 철회되지 않으며 잘못 인쇄된 책은 바꾸어 드립니다.
이 책에 실린 모든 삽화 및 편집 형태에 대한 저작권은
(주)디딤돌 교육에 있으므로 무단으로 복사 복제할 수 없습니다.
Copyright © Didimdol Co. [1861800]

Pre B ^{7세}

상위권의 기준

최상위
사고력

수학 좀 한다면

선 하나를 내리긋는 힘!

직사각형이 있습니다.
윗변의 어느 한 점과 밑변의 두 끝을 연결한
삼각형을 만듭니다.

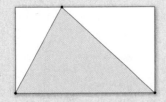

이 삼각형은 직사각형 전체 넓이의 얼마를 차지할까요?

옛 수학자가 이 문제를 푸느라
몇 날 며칠 밤, 땀을 뻘뻘 흘립니다.

그러다 문득!
삼각형의 위쪽 꼭짓점에서 수직으로 선을 하나 내리긋습니다.

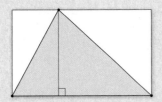

이제 모든 게 선명해집니다.
직사각형은 2개로 나뉘었고
각각의 직사각형은 삼각형의 두 변에 의해 반씩 나누어 집니다.

정답은 $\dfrac{1}{2}$

그러나 중요한 건 정답이 아닙니다.
문제를 해결하려 땀을 뻘뻘 흘리다, 뇌가 번쩍하며
선 하나를 내리긋는 순간!
스스로 수학적 개념을 발견하는 놀라움!

삼각형, 직사각형의 넓이 구하는 공식을 달달 외워
기계적으로 문제를 푸는 것이 아닌

진짜 수학적 사고력이란 이런 것입니다.
문제에 부딪혔을 때, 문제를 해결하는 과정 속에서
스스로 수학적 개념을 발견하고 해결하는 즐거움.
이러한 즐거운 체험의 연속이 수학적 사고력의 본질입니다.

선 하나를 내리긋는 놀라운 생각.
디딤돌 최상위 사고력입니다.

수학적 개념을 발견하고 해결하는 즐거운 여행

정답을 구하는 것이 목적이 아니라
생각하는 과정 자체가 목적이 되는 문제들로 구성하였습니다.

3-1. 오른쪽과 왼쪽

낯설지만 손이 가는 문제

어려워 보이지만 풀 수 있을 것 같은,
도전하고 싶은 마음이 생깁니다.

1 그림을 보고 알맞은 손에 깃발을 그리세요.

(1) 앞 → 뒤   (2) 뒤 → 앞

 땀이 뻘뻘

2 다음을 읽고 연우, 가희, 지오의 위치를 찾아 이름을 쓰세요.

- 연우의 오른쪽에 민우가 있습니다.
- 가희의 왼쪽에 지오가 있습니다.
- 지오의 오른쪽에 가희가 있습니다.

민우

 땀이 뻘뻘

첫 번째 문제와 비슷해 보이지만 막상 풀려면
수학적 개념을 세우느라 머리에 땀이 납니다.

뇌가 번쩍

앞의 문제를 자신만의 방법으로 풀면서 뒤죽박죽 생각했던 것들이
명쾌한 수학개념으로 정리됩니다. 이제 똑똑해지는 기분이 듭니다.

뇌가 번쩍

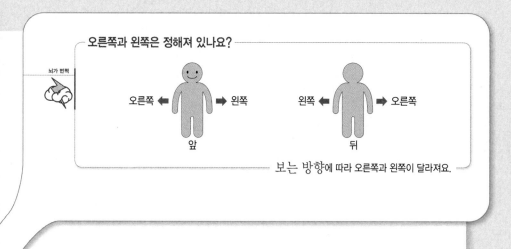

오른쪽과 왼쪽은 정해져 있나요?

오른쪽 ← 사람 → 왼쪽
앞

왼쪽 ← 사람 → 오른쪽
뒤

보는 방향에 따라 오른쪽과 왼쪽이 달라져요.

상위
고력

은수는 명령 기호에 따라 집에 갔습니다. 은수가 집에 가는 데 알맞은 명령 기호
를 차례로 쓰세요.

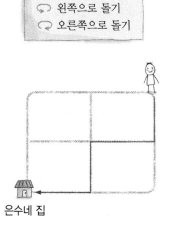

명령 기호
↑ 한 칸 움직이기
↺ 왼쪽으로 돌기
↻ 오른쪽으로 돌기

은수네 집

최상위 사고력 문제

뇌가 번쩍을 통해 알게된 개념을
다양한 관점에서
이해하고 해석해 봄으로써
한 단계 더 깊게 생각하는
힘을 기릅니다.

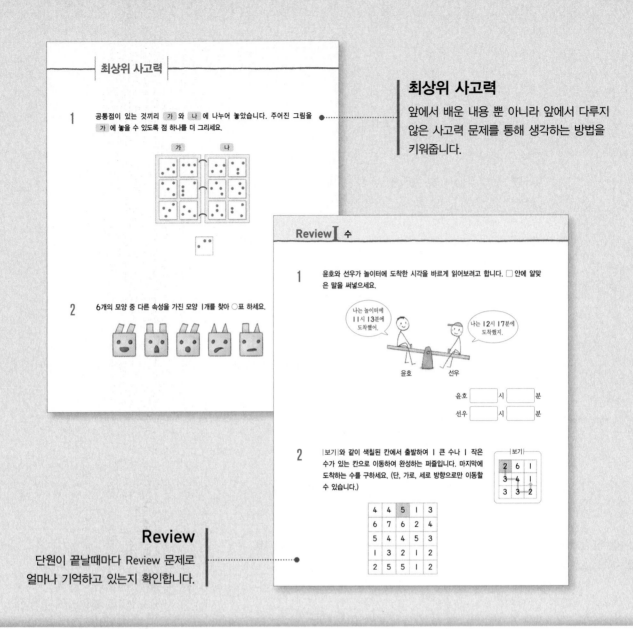

최상위 사고력

1 공통점이 있는 것끼리 `가` 와 `나` 에 나누어 놓았습니다. 주어진 그림을 `가` 에 놓을 수 있도록 점 하나를 더 그리세요.

2 6개의 모양 중 다른 속성을 가진 모양 1개를 찾아 ○표 하세요.

Review | 수

1 윤호와 선우가 놀이터에 도착한 시각을 바르게 읽어보려고 합니다. □ 안에 알맞은 말을 써넣으세요.

나는 놀이터에 11시 13분에 도착했어.

나는 12시 17분에 도착했지.

윤호   선우

윤호 [ ] 시 [ ] 분
선우 [ ] 시 [ ] 분

2 |보기|와 같이 색칠된 칸에서 출발하여 1 큰 수나 1 작은 수가 있는 칸으로 이동하여 완성하는 퍼즐입니다. 마지막에 도착하는 수를 구하세요. (단, 가로, 세로 방향으로만 이동할 수 있습니다.)

|보기|
2	6	1
3	4	1
3	3	2

4	4	5	1	3
6	7	6	2	4
5	4	4	5	3
1	3	2	1	2
2	5	5	1	2

최상위 사고력
앞에서 배운 내용 뿐 아니라 앞에서 다루지 않은 사고력 문제를 통해 생각하는 방법을 키워줍니다.

Review
단원이 끝날때마다 Review 문제로 얼마나 기억하고 있는지 확인합니다.

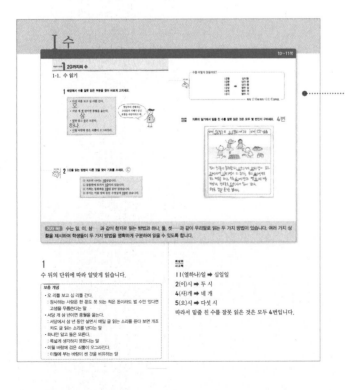

친절한 정답과 풀이
저자 톡!을 통해 문제를 선정하고 배치한 이유를 알려줍니다.
문제마다 좀 더 보기 쉽고, 이해하기 쉽게 설명하려고 하였습니다.

contents

I 연산

1. 덧셈의 활용 ·· 10

2. 조건과 식 ·· 18

II 도형

3. 평면 ··· 30

4. 평면 퍼즐 ·· 38

III 규칙

5. 약속하기 ·· 50

6. 추론하기 ·· 58

IV 확률과 통계(1)

7. 가짓수 ·· 70

8. 길의 가짓수 ·· 78

V 확률과 통계(2)

9. 문제 해결 방법 찾기(1) ··· 90

10. 문제 해결 방법 찾기(2) ··· 98

연산

1 덧셈의 활용

  1-1 10 만들기

  1-2 덧셈식 만들기

  1-3 덧셈 퍼즐

2 조건과 식

  2-1 뺄셈식 만들기

  2-2 주고 받기 문장제

  2-3 조건에 맞는 식

I

1 덧셈의 활용

  1-1 10 만들기

  1-2 덧셈식 만들기

  1-3 덧셈 퍼즐

1-1. 10 만들기

1 펭귄이 가로, 세로로 한 칸씩 움직여서 물고기가 있는 곳까지 가려고 합니다. 펭귄이 지나간 칸에 있는 수의 합이 10이 되도록 길을 그리세요.

2 세 수의 합이 10이 되도록 세 칸씩 묶으세요.

(1)

5	3	8
6	2	1
3	1	1

(2)

1	3	4
2	7	3
4	4	2

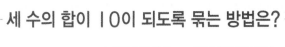

세 수의 합이 10이 되도록 묶는 방법은?

2	4	2
7	5	4
1	2	3

➡

2	4	2
7	5	4
1	2	3

➡

2	4	2
7	5	4
1	2	3

➡

2	4	2
7	5	4
1	2	3

가장 큰 수를 중심으로 합이 10이 되도록 묶어요.

최상위 사고력

가로줄과 세로줄에 있는 ☆ 모양이 모두 10개가 되도록 빈칸에 알맞은 수의 ☆ 모양을 그려 넣으세요.

☆☆	☆☆☆	☆☆☆	
☆☆☆☆	☆		☆
			☆☆☆
☆☆☆		☆	

정답과 풀이 1쪽 ▶

1-2. 덧셈식 만들기

1 1부터 9까지의 수 중에서 ☐ 안에 알맞은 수를 써넣어 합이 9가 되는 덧셈식을 모두 쓰세요. (단, 수의 순서가 바뀐 것은 같은 식으로 생각합니다.)

$$4+\square+\square=9$$

2 주머니 안에 6개의 구슬이 있습니다. 구슬을 꺼내어 합이 6이 되는 덧셈식을 모두 만드세요. (단, 수의 순서가 바뀐 것은 같은 식으로 생각합니다.)

합이 5가 되는 덧셈식을 찾는 방법은?

| 1 | 2 | 3 | 4 |

① 가장 큰 수가 **4**인 경우: $4+1=5$

② 가장 큰 수가 **3**인 경우: $3+2=5$

기준을 정해서 합이 5가 되는 덧셈식을 찾아요.

최상위 사고력

주어진 수 카드 중에서 합이 8이 되도록 수 카드를 뽑으려고 합니다. 뽑을 수 있는 경우는 모두 몇 가지인지 구하세요.

| 1 | 1 | 1 | 1 | 2 | 2 | 5 |

정답과 풀이 2쪽 ▶

1-3. 덧셈 퍼즐

1 |부터 7까지의 수를 한 번씩 모두 사용하여 한 줄에 놓인 세 수의 합이 모두 10이 되도록 퍼즐을 완성하세요.

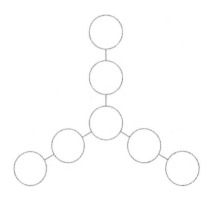

2 두 수의 위치를 바꾸어 각각의 가로줄과 세로줄에 놓인 세 수의 합이 모두 같아지게 하려고 합니다. 바꿀 수 있는 두 수를 찾아 색칠하세요.

6	2	3
4		5
I	8	I

뇌가 번쩍

가로줄과 세로줄에 놓인 세 수의 합을 같게 만드는 방법은?

$$1+4=2+3$$
$$1+5=2+4$$
$$2+5=3+4$$

➡

```
     [1]              [1]              [2]
[2] [5] [3]      [2] [3] [4]      [3] [1] [4]
     [4]              [5]              [5]
```

먼저 두 수의 **합**이 **같은** 경우를 찾아요.

최상위 사고력

성냥개비 한 개를 옮겨서 한 줄에 놓인 성냥개비의 수의 합이 모두 같아지도록 만드세요.

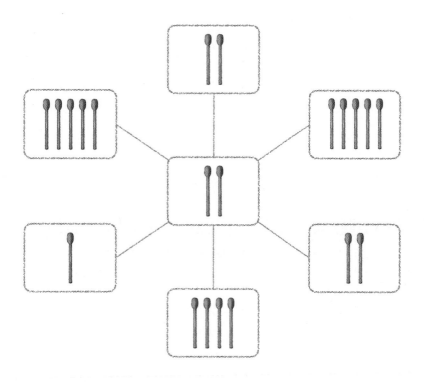

정답과 풀이 3쪽 ▶

1 주어진 수 카드 중에서 합이 7이 되도록 수 카드를 뽑으려고 합니다. 뽑을 수 있는 경우는 모두 몇 가지인지 구하세요.

2 주사위 3개를 동시에 던져서 나온 세 수의 합이 10이 되는 경우는 모두 몇 가지인지 구하세요. (단, (1, 2, 2)가 나온 경우와 (2, 1, 2), (2, 2, 1)이 나온 경우는 한 가지로 생각합니다.)

3 가로줄과 세로줄에 놓인 세 수의 합이 모두 10이 되도록 빈칸에 알맞은 수를 써 넣으세요.

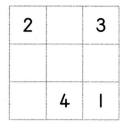

4 ♠ 모양 한 개를 옮겨서 한 줄에 놓인 ♠ 모양의 수의 합이 모두 같아지도록 만드세요.

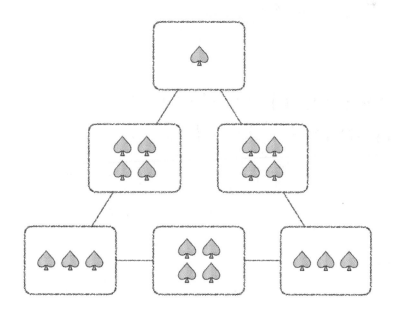

정답과 풀이 4쪽 ▶

2-1. 뺄셈식 만들기

1 계산 결과가 5가 되도록 필요 없는 수에 ✕표 하세요.

$$9-3-4=5$$

2 주어진 수 카드를 한 번씩 모두 사용하여 3개의 식을 완성하려고 합니다. ☐ 안에 알맞은 수를 써넣으세요.

| 3 | 4 | 5 | 6 | 7 | 8 |

☐ − ☐ = 2   ☐ − ☐ = 3   ☐ − ☐ = 4

뇌가 번쩍

차가 3이 되는 뺄셈식을 찾는 방법은?

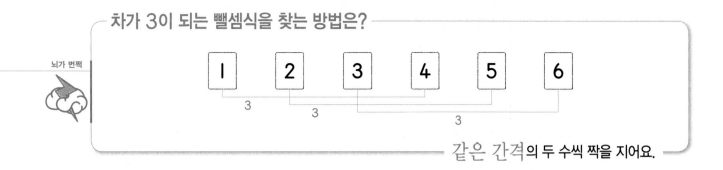

같은 간격의 두 수씩 짝을 지어요.

최상위 사고력 1, 2, 3, 4, 5, 6, 7, 8을 빈칸에 한 번씩 모두 써넣어 뺄셈 퍼즐을 완성하세요.

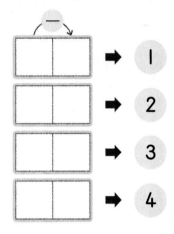

2-2. 주고 받기 문장제

1 두 쟁반에 있는 쿠키의 수를 같게 만들려고 합니다. ☐ 안에 알맞은 수를 써넣으세요.

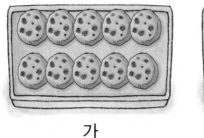 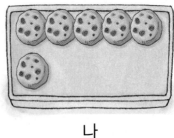

가   나

(1) 가 쟁반에서 쿠키 ☐ 개를 뺍니다.

(2) 나 쟁반에 쿠키 ☐ 개를 더 놓습니다.

(3) 가 쟁반에 있는 쿠키 ☐ 개를 나 쟁반으로 옮깁니다.

2 얼룩이와 누렁이가 같은 수의 뼈다귀를 가지려면 얼룩이가 누렁이에게 뼈다귀 몇 개를 주어야 하는지 구하세요.

얼룩이

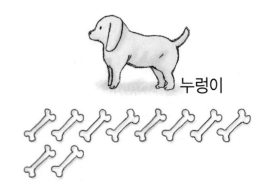

누렁이

같은 수로 만드는 방법은?

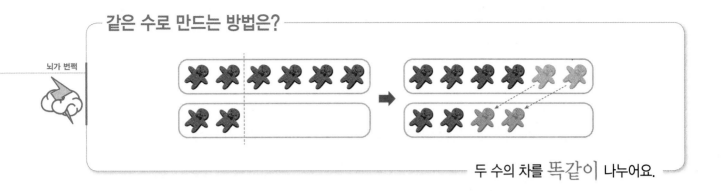

두 수의 차를 **똑같이** 나누어요.

**최상위
사고력**

금화 10개를 하늘색 주머니와 분홍색 주머니에 나누어 담으려고 합니다. 하늘색 주머니에 2개 더 담으려면 하늘색 주머니와 분홍색 주머니에 각각 몇 개씩 담아야 하는지 차례로 구하세요.

2-3. 조건에 맞는 식

1 주어진 수 카드를 사용하여 조건에 맞는 뺄셈식을 만드세요.

| 1 | 2 | 3 | 4 | 5 | 6 | 7 | 8 | 9 |

> **조건**
> - 두 수는 짝수입니다.
> - 두 수는 모두 **4**보다 큽니다.

$$\square - \square = 2$$

💡 홀수는 |부터 **2**씩 뛰어 센 수, 짝수는 **2**부터 **2**씩 뛰어 센 수예요.

2 주어진 수 카드 중에서 조건에 맞는 세 수 ㉠, ㉡, ㉢을 찾아 ㉠+㉡+㉢의 계산 결과를 구하세요.

| 0 | 1 | 2 | 3 | 4 | 5 |

> **조건**
> - ㉠은 짝수입니다.
> - ㉠은 ㉡보다 | 큽니다.
> - ㉡은 ㉢보다 **2** 큽니다.

뇌가 번쩍

조건에 맞는 뺄셈식을 구하는 방법은?

| 1 | 2 | 3 | 4 | 5 | 6 | 7 | 8 | 9 |

① 두 수는 모두 홀수입니다. ➡ 1, 3, 5, 7, 9
② 두 수의 차는 4입니다. ➡ (1, 5), (3, 7), (5, 9)
③ 두 수는 모두 3보다 큽니다. ➡ (5, 9)

따라서 조건에 맞는 뺄셈식은 9-5=4입니다.

알 수 있는 조건부터 차례로 구해요.

최상위
사고력

주어진 수 카드 중에서 조건에 맞는 세 수 ㉠, ㉡, ㉢을 찾아 ㉠+㉡-㉢의 계산 결과를 구하세요.

| 1 | 2 | 3 | 4 | 5 | 6 | 7 | 8 | 9 |

조건
· ㉡과 ㉢의 합은 ㉠보다 2 작습니다.
· ㉡은 ㉢보다 1 큽니다.
· ㉢은 짝수입니다.

정답과 풀이 7쪽 ▶

1 |보기|와 같이 각각의 줄에 있는 수 한 개를 지워서 가로줄과 세로줄에 놓인 두 수의 합이 표 밖의 수가 되도록 하려고 합니다. 지워야 하는 수를 찾아 ✕표 하세요.

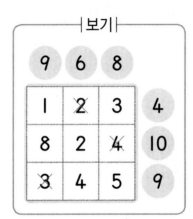

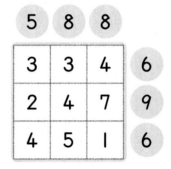

2 수 카드의 가장 큰 수와 가장 작은 수의 차가 4일 때 뒤집어진 수 카드가 될 수 있는 수를 모두 구하세요.

| 3 | 5 | 6 | ▢ |

3 피자 8조각을 민이와 지수가 나누어 먹으려고 합니다. 민이가 지수보다 2조각 더 많이 먹으려면 민이와 지수는 각각 몇 조각씩 먹어야 하는지 차례로 구하세요.

4 사탕 10개를 유미와 친구들이 나누어 먹었습니다. 다음 대화를 읽고 유미가 먹은 사탕의 수를 구하는 뺄셈식을 만드세요.

현서: 내가 먹은 사탕의 수는 2보다 1 작은 수야.
지우: 사탕 10개를 똑같이 두 묶음으로 나눈 것 중 한 묶음만큼을 먹었어.
유미: 현서와 지우가 먹고 남은 사탕을 내가 다 먹었어.

정답과 풀이 8쪽 ▶

1 가로, 세로로 덧셈식을 만들 수 있는 이웃한 세 수를 모두 찾아 |보기|와 같이 나타내세요.

1	3	4	6
7	2	2	5
3	8	9	2
9	10	1	7

2 1, 2, 3, 4, 5, 6 중에서 서로 다른 세 수를 사용하여 세 가지 방법으로 다음 식을 완성하려고 합니다. ☐ 안에 알맞은 수를 써넣으세요. (단, 수의 순서가 바뀐 것은 같은 식으로 생각합니다.)

방법1 ☐ + ☐ + ☐ = 9

방법2 ☐ + ☐ + ☐ = 9

방법3 ☐ + ☐ + ☐ = 9

3 가로줄과 세로줄에 놓인 식이 모두 올바른 식이 되도록 빈칸에 알맞은 수를 써넣으세요.

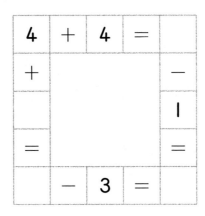

4 주어진 수 카드를 한 번씩 모두 사용하여 3개의 식을 완성하려고 합니다. ☐ 안에 알맞은 수를 써넣으세요.

| 1 | 2 | 3 | 5 | 7 | 9 |

☐−☐=4   ☐−☐=5   ☐−☐=6

                                                     정답과 풀이 9쪽 ▶

5 흰색 토끼와 갈색 토끼가 같은 수의 당근을 가지려면 흰색 토끼가 갈색 토끼에게 당근 몇 개를 주어야 하는지 구하세요.

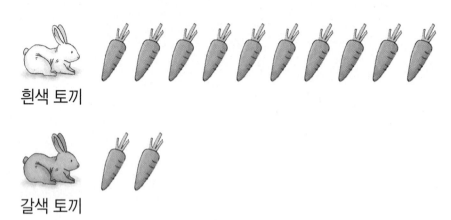

흰색 토끼

갈색 토끼

6 주어진 수 카드를 사용하여 조건에 맞는 뺄셈식을 만드세요.

| 1 | 3 | 5 | 7 | 8 | 9 |

조건
• 두 수는 모두 홀수입니다.
• 두 수는 모두 3보다 큽니다.

☐－☐＝4

도형

3 평면
3-1 색종이 접어 자르기
3-2 투명 종이 겹치기
3-3 부분과 전체

4 평면 퍼즐
4-1 패턴블록
4-2 칠교놀이
4-3 테트로미노

3-1. 색종이 접어 자르기

1 색종이를 한 번 접어 선을 따라 잘랐을 때 나오는 모양을 찾아 기호를 쓰세요.

(1)  (2)

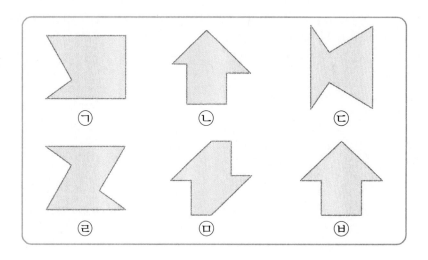

ㄱ   ㄴ   ㄷ

ㄹ   ㅁ   ㅂ

2 색종이를 2번 접어 색칠한 부분을 자른 다음 펼쳤습니다. 마지막 색종이에 펼쳤을 때 모양을 그리세요.

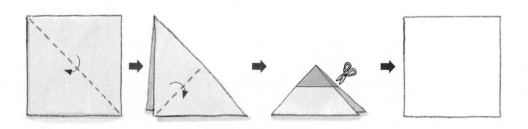

뇌가 번쩍

색종이를 접어 자른 후 펼친 모양을 어떻게 알 수 있을까요?

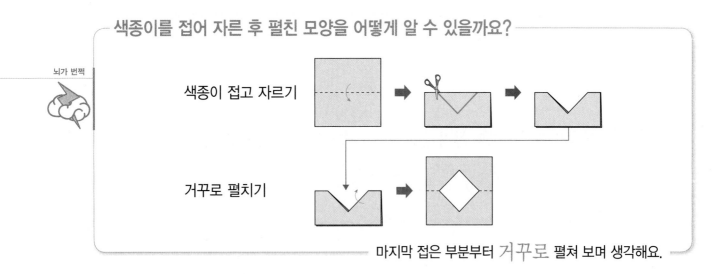

색종이 접고 자르기

거꾸로 펼치기

마지막 접은 부분부터 거꾸로 펼쳐 보며 생각해요.

최상위 사고력

색종이를 한 번 접어 구멍을 5번 뚫어서 만든 구멍이 아닌 것을 찾아 ○표 하세요.

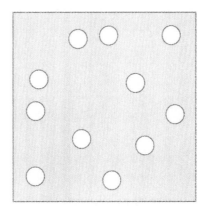

정답과 풀이 11쪽 ▶

3-2. 투명 종이 겹치기

1 크기가 같은 투명 종이 2장을 완전히 겹쳐서 왼쪽 모양을 만들었습니다. 사용한 투명 종이 2장을 찾아 기호를 쓰세요.

(1)

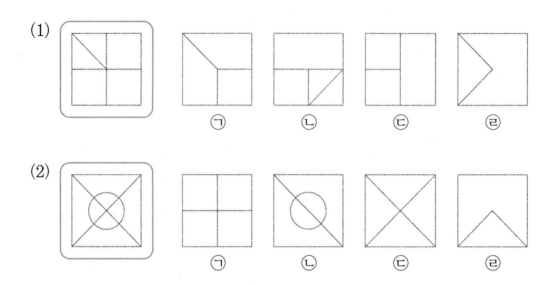

(2)

2 크기가 같은 투명 종이 2장을 완전히 겹치려고 합니다. 투명 종이를 돌려서 ●을 맞추었을 때 색칠되지 않은 칸은 모두 몇 칸인지 구하세요.

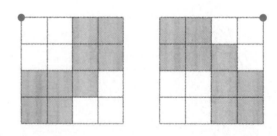

어떻게 겹치면 서로 다른 모양이 나올까요?

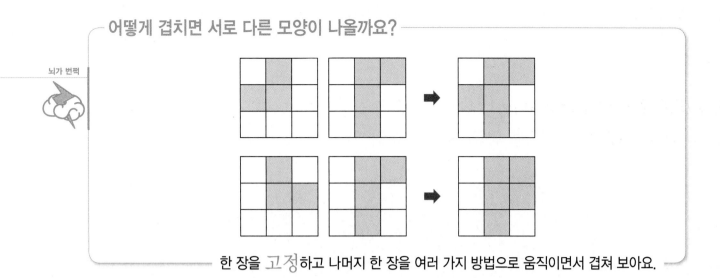

한 장을 고정하고 나머지 한 장을 여러 가지 방법으로 움직이면서 겹쳐 보아요.

최상위 사고력

크기가 같은 투명 종이 2장을 완전히 겹치려고 합니다. 색칠된 칸이 가장 많이 겹치도록 놓을 때 색칠되지 않은 칸은 모두 몇 칸인지 구하세요. (단, 투명 종이는 뒤집지 않습니다.)

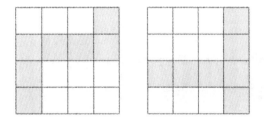

3-3. 부분과 전체

1 왼쪽 모양을 이용하여 규칙적인 무늬를 만들었습니다. 빈칸을 채워 무늬를 완성하세요.

 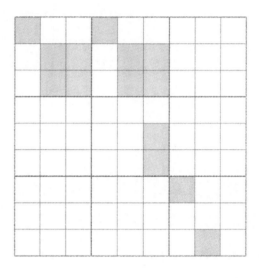

2 왼쪽 모양에서 찾을 수 없는 조각을 모두 찾아 ╳표 하세요.

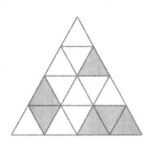

나올 수 없는 조각을 찾는 방법은 무엇일까요?

뇌가 번쩍

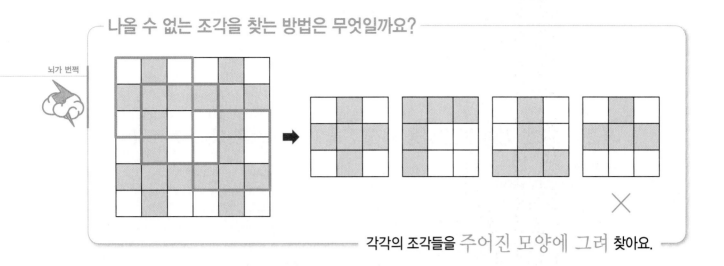

각각의 조각들을 주어진 모양에 그려 찾아요.

최상위 사고력 왼쪽 모양에서 찾을 수 있는 조각을 모두 찾아 기호를 쓰세요.

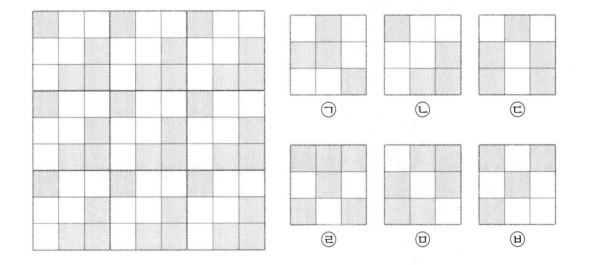

ㄱ   ㄴ   ㄷ

ㄹ   ㅁ   ㅂ

1 색종이를 3번 접어 펼친 다음 접힌 선을 따라 자르면 모두 몇 조각이 되는지 구하세요.

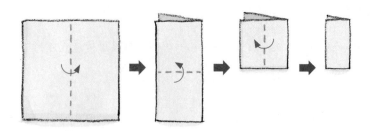

2 크기가 같은 투명 종이 2장을 완전히 겹칠 때 ◯, △, ■는 각각 몇 개씩 보이는지 차례로 구하세요.

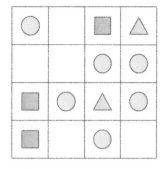 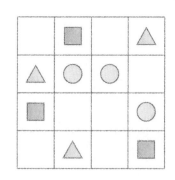

3 크기가 같은 투명 종이 2장을 밀거나 돌려서 완전히 겹치려고 합니다. 겹쳐진 색칠된 칸이 가장 적은 경우와 가장 많은 경우의 모양을 각각 그리세요.

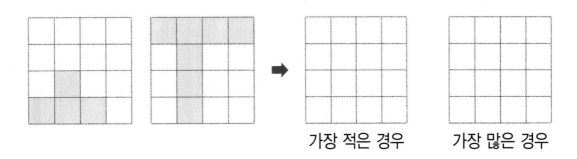

가장 적은 경우   가장 많은 경우

4 왼쪽 모양에서 찾을 수 없는 조각을 찾아 기호를 쓰세요.

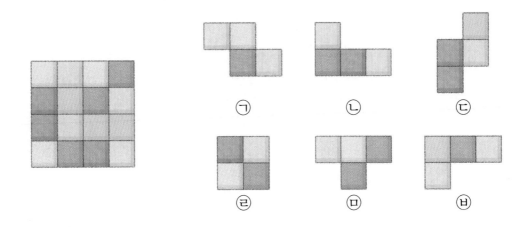

정답과 풀이 14쪽 ▶

4-1. 패턴블록

1 다음과 같은 6종류의 모양을 패턴블록이라고 합니다. 물음에 답하세요.

(1) |보기|와 같이 주어진 모양을 패턴블록을 이용하여 여러 가지 방법으로 만들었습니다. 만드는 방법을 선을 그어 나타내세요.

|보기|

⚡ 같은 종류의 패턴블록을 여러 번 이용해도 돼요.

(2) 패턴블록을 가장 적게 이용하여 ㉠, ㉡, ㉢ 모양을 만들었습니다. 이용한 패턴블록의 수가 다른 모양의 기호를 찾아 쓰세요.

㉠

㉡

㉢

패턴블록의 수를 다르게 하여 만들 수 있을까요?

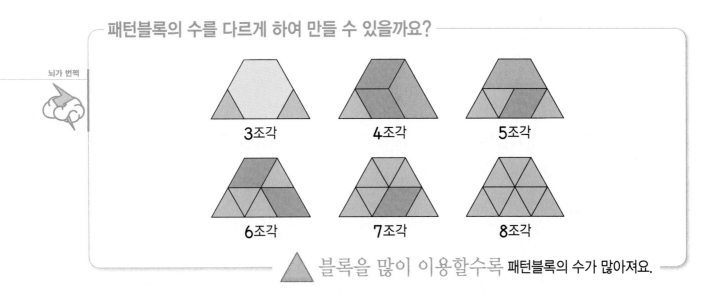

3조각 4조각 5조각

6조각 7조각 8조각

△ 블록을 많이 이용할수록 패턴블록의 수가 많아져요.

최상위 사고력

패턴블록을 이용하여 고양이 모양을 만들었습니다. 이용한 패턴블록의 수가 가장 많은 경우와 가장 적은 경우의 패턴블록의 수를 각각 쓰세요.

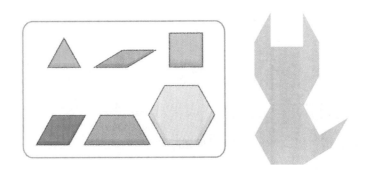

가장 많은 경우: ☐ 조각

가장 적은 경우: ☐ 조각

4-2. 칠교놀이

1 주어진 칠교판의 4조각을 이용하여 오른쪽 모양을 만들었습니다. 만드는 방법을 선을 그어 나타내세요.

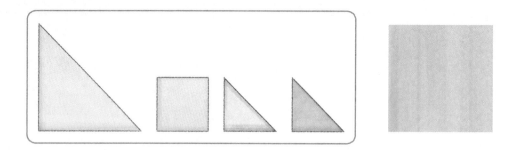

땀이 뻘뻘

2 칠교판의 7조각 중 몇 조각을 이용하여 오른쪽 모양을 만들었습니다. 만드는 방법을 선을 그어 나타내세요.

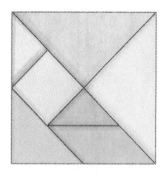

뇌가 번쩍

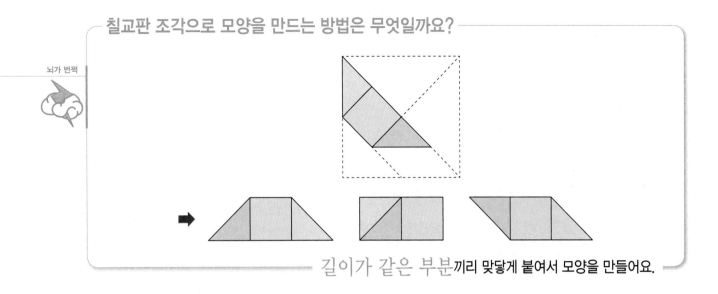

길이가 같은 부분끼리 맞닿게 붙여서 모양을 만들어요.

최상위 사고력 주어진 수의 칠교판 조각을 이용하여 세모 모양을 여러 가지 방법으로 만들었습니다. 만드는 방법을 선을 그어 나타내세요.

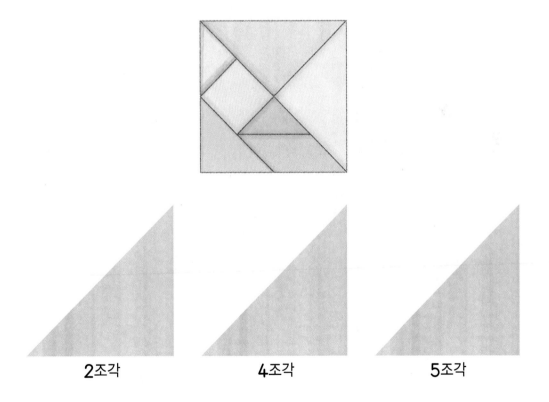

2조각　　　　　　4조각　　　　　　5조각

정답과 풀이 16쪽 ▶

4-3. 테트로미노 —— 크기가 같은 4개의 네모 모양을 붙여 만든 모양

1 테트로미노 조각 중 한 가지 조각을 여러 번 이용하여 주어진 네모 모양을 가득 채웠습니다. 이용한 조각의 기호를 보고 만드는 방법을 선을 그어 나타내세요.

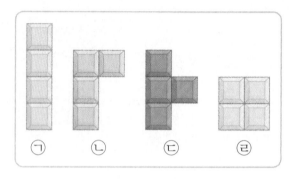

ㄱ   ㄴ   ㄷ   ㄹ

2 주어진 테트로미노 조각을 한 번씩 모두 이용하여 공룡 모양을 만들었습니다. 만드는 방법을 선을 그어 나타내세요.

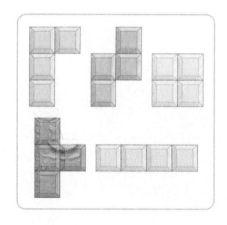
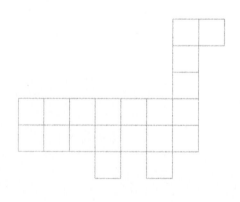

테트로미노 조각으로 모양을 완성하는 방법은 무엇일까요?

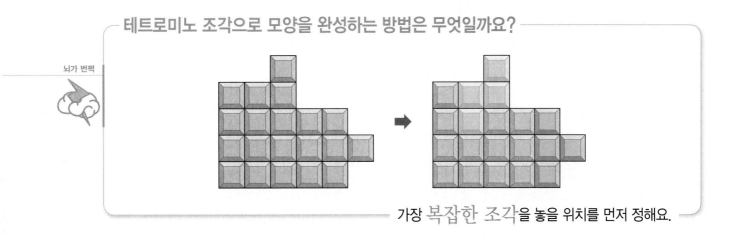

가장 **복잡한 조각**을 놓을 위치를 먼저 정해요.

최상위 사고력

테트로미노 조각 안에 1, 2, 3, 4가 한 번씩 모두 들어갈 수 있도록 놓으려고 합니다. 주어진 테트로미노 조각을 놓는 방법을 선을 그어 나타내세요.

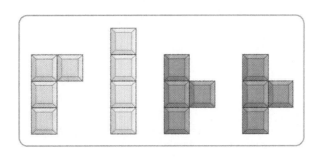

4	2	3	1
3	1	2	4
2	4	1	3
1	3	4	2

1 주어진 모양을 패턴블록을 이용하여 만들었습니다. 이용한 패턴블록의 수가 가장 적은 경우의 패턴블록의 수는 몇 조각인지 쓰세요.

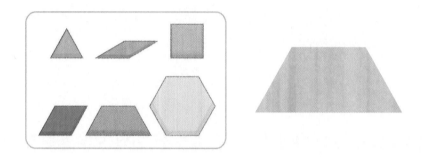

2 칠교판의 7조각 중 6조각을 이용하여 오른쪽 모양을 만들었습니다. 이용하지 않은 조각의 번호를 찾아 쓰세요. (단, 크기가 같은 조각은 두 조각 중 하나의 번호를 씁니다.)

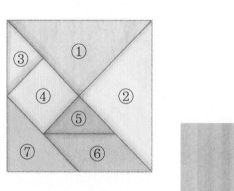 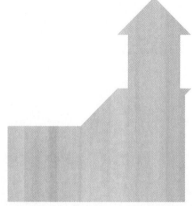

3 주어진 테트로미노 조각을 한 번씩 모두 이용하여 오른쪽 모양을 만들었습니다. 만드는 방법을 선을 그어 나타내세요.

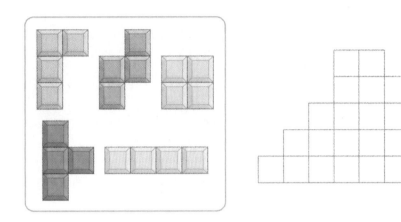

4 테트로미노 조각 안에 1, 2, 3, 4가 한 번씩 모두 들어갈 수 있도록 놓으려고 합니다. 주어진 테트로미노 조각을 놓는 방법을 선을 그어 나타내세요.

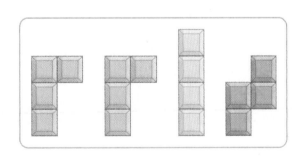

3	1	4	2
2	3	1	4
4	2	3	1
1	4	2	3

정답과 풀이 18쪽 ▶

1   동그라미 모양의 종이를 2번 접어 색칠한 부분을 자른 다음 펼쳤습니다. 마지막 종이에 펼쳤을 때 모양을 그리세요.

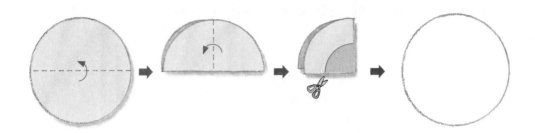

2   구멍이 뚫린 카드 2장과 그림 카드 한 장이 있습니다. 구멍이 뚫린 카드 2장을 완전히 겹쳐서 그림 카드 위에 올려 놓았을 때 보이는 과일에 모두 ○표 하세요.

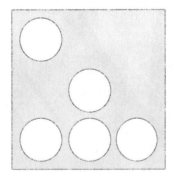 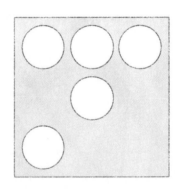 

3 오른쪽 모양을 선을 따라 잘라 6조각으로 나누었습니다. □ 안에 알맞은 조각의 기호를 써넣으세요.

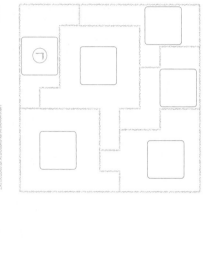

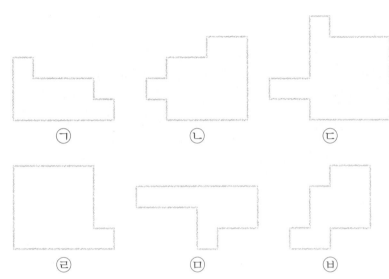

ⓐ ⓑ ⓒ

ⓓ ⓔ ⓕ

4 패턴블록을 가장 적게 이용하여 오른쪽 모양을 만들 때 이용하지 않는 패턴블록에 모두 ×표 하세요.

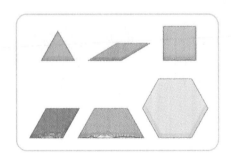 

정답과 풀이 19쪽 ▶

5 칠교판의 7조각을 모두 이용하여 오른쪽 모양을 만들었습니다. 만드는 방법을 선을 그어 나타내세요.

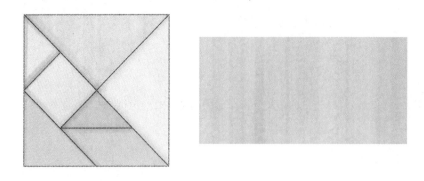

6 테트로미노 조각을 한 번씩 모두 이용하여 오른쪽 모양을 완성하려고 합니다. 만드는 방법을 선을 그어 나타내세요.

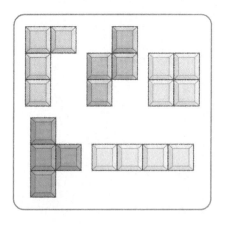
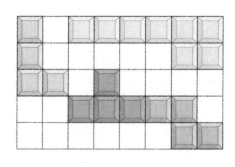

정답과 풀이 20쪽 ▶

규칙

5 약속하기
5-1 도형 약속
5-2 기호 약속
5-3 암호

6 추론하기
6-1 관계 유추
6-2 도형 유추
6-3 매트릭스 유추

5-1. 도형 약속

1 규칙을 찾아 ☐ 안에 알맞은 수를 써넣으세요.

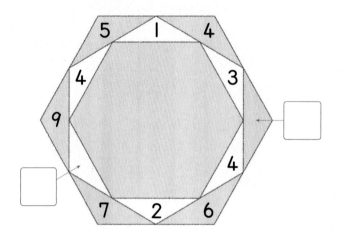

 2 규칙을 찾아 빈 곳에 알맞은 수를 써넣으세요.

TIP 지붕에 적힌 수들의 규칙을 찾아보세요.

도형이 나타내는 규칙을 어떻게 찾을까요?

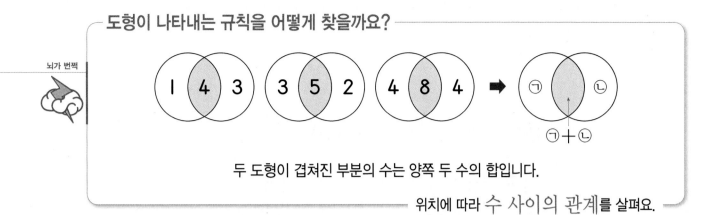

두 도형이 겹쳐진 부분의 수는 양쪽 두 수의 합입니다.

위치에 따라 수 사이의 관계를 살펴요.

최상위 사고력

규칙을 찾아 가, 나, 다에 알맞은 수를 차례로 구하세요.

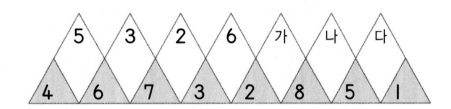

5-2. 기호 약속

1 모자의 규칙을 찾아 □ 안에 알맞은 구슬의 개수를 써넣으세요.

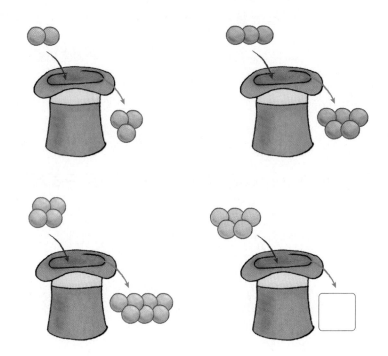

땀이 뻘뻘

2 기호 ◎와 ★의 규칙을 찾아 □ 안에 알맞은 수를 써넣으세요.

(1) 1◎=2   3◎=6   4◎=8   5◎=□

(2) 1★=□   2★=5   3★=7   4★=9

기호가 나타내는 규칙을 어떻게 찾을까요?

$$2 ♥ 1 = 3 \qquad 3 ♥ 2 = 5 \qquad 4 ♥ 3 = 7$$

$$2+1=3 \qquad\quad 3+2=5 \qquad\quad 4+3=7$$

➡ ♥는 +를 나타냅니다.

덧셈, 뺄셈을 이용하여 규칙을 찾아요.

최상위 사고력

기호 ♣의 규칙을 찾아 ☐ 안에 알맞은 수를 써넣으세요.

$$3♣2=6 \qquad 2♣4=8 \qquad 1♣4=4$$
$$2♣2=4 \qquad 4♣1=4 \qquad 3♣3=9$$

(1) 2♣3 = ☐

(2) 6♣1 = ☐

(3) 8♣2 = ☐

5-3. 암호

1 I부터 4까지 수를 배열한 암호 열쇠 입니다. 알맞게 해독한 사람의 이름을 쓰세요.

I	2	3
2	I	4
I	2	3

연우

I	3	2
2	I	2
3	3	I

혜영

I	2	I
4	I	3
2	3	2

지웅

I	2	I
3	I	2
2	4	2

정아

2 왼쪽과 같은 방법으로 미로를 통과하세요.

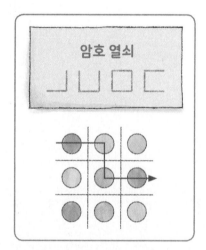

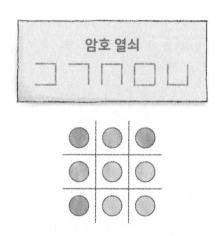

암호는 어떻게 풀어야 할까요?

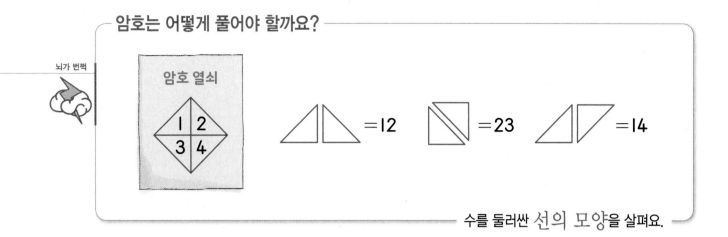

수를 둘러싼 선의 모양을 살펴요.

**최상위
사고력**

암호 열쇠를 보고 □ 안에 알맞은 수를 써넣으세요.

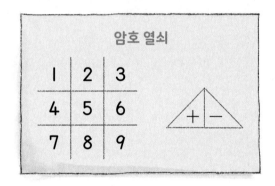

정답과 풀이 23쪽 ▶

1 규칙을 찾아 빈칸에 알맞은 수를 써넣으세요.

3	0
1	2

6	1
2	3

5	3
1	1

9	2
2	5

	2
4	2

9	2
3	

2 기호 ◈의 규칙을 찾아 □ 안에 알맞은 수를 써넣으세요.

$$4 ◈ 1 = 7 \qquad 5 ◈ 3 = 7 \qquad 2 ◈ 2 = 2$$
$$3 ◈ 2 = 4 \qquad 3 ◈ 4 = 2 \qquad 5 ◈ 1 = 9$$

(1) $4 ◈ 5 = \boxed{}$

(2) $2 ◈ 3 = \boxed{}$

(3) $5 ◈ 5 = \boxed{}$

3 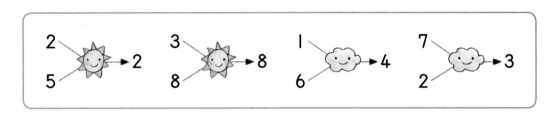과 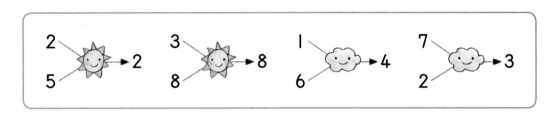의 규칙을 각각 찾아 ☐ 안에 알맞은 수를 써넣으세요.

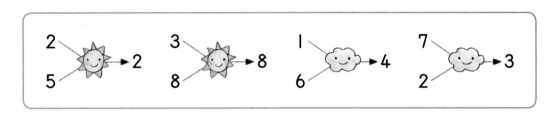

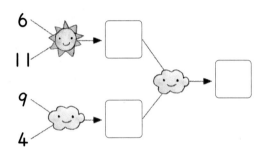

4 1부터 5까지의 수와 ＋, ─가 적혀 있는 암호 열쇠를 보고 암호를 푼 것입니다.
☐ 안에 1부터 5까지의 수를 써넣어 암호 열쇠를 완성하세요.

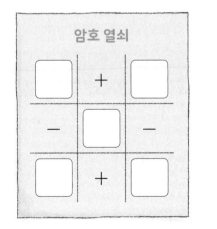

암호 열쇠

┛┗┗ =8

┛┗┏ =2

☐┓┓ =2

6-1. 관계 유추

관계를 보고 공통점을 찾아 추측하는 것

1 빈칸에 알맞은 단어를 써넣으세요.

(1)  :

비행기와 하늘의 관계는 배와 [   ]의 관계와 같습니다.

(2) 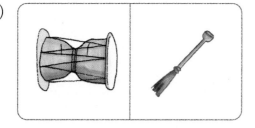 :

장구와 장구채의 관계는 [   ]과 실로폰채의 관계와 같습니다.

땀이 뻘뻘

2 두 단어의 관계가 주어진 두 단어의 관계와 다른 것을 찾아 기호를 쓰세요.

음료수 : 오렌지 주스

㉠ 책 : 동화책   ㉡ 빵 : 바게트   ㉢ 동물 : 코끼리   ㉣ 소 : 송아지

관계가 같은 것을 어떻게 찾을까요?

손 : 장갑 = 발 : ☐   손에 입는 것은 장갑   ⟶   손 : 장갑 = 발 : 양말
                        발에 입는 것은 양말

두 단어의 관계를 찾아요.

최상위 사고력

왼쪽 수와 오른쪽 수의 관계를 찾아 빈칸에 알맞은 수를 써넣으세요.

13	5

11	3

12	

20	4

14	6

21	

정답과 풀이 25쪽 ▶

6-2. 도형 유추

1 모양의 관계가 같은 것을 찾아 ☐ 안에 알맞은 기호를 써넣으세요.

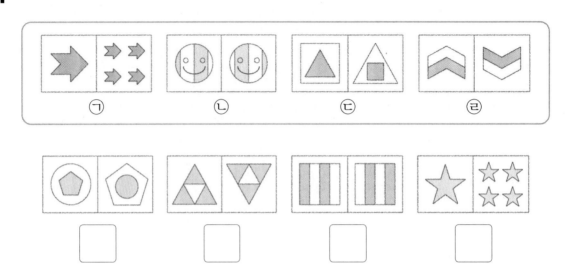

TIP 개수, 색칠된 부분, 위치, 방향 등의 변화를 살펴보세요.

2 모양의 관계를 보고 빈칸에 알맞은 모양을 그리세요.

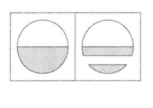 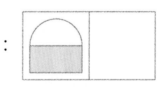

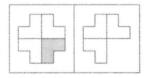 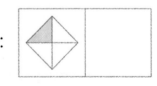

두 도형의 관계는 어떻게 찾을까요?

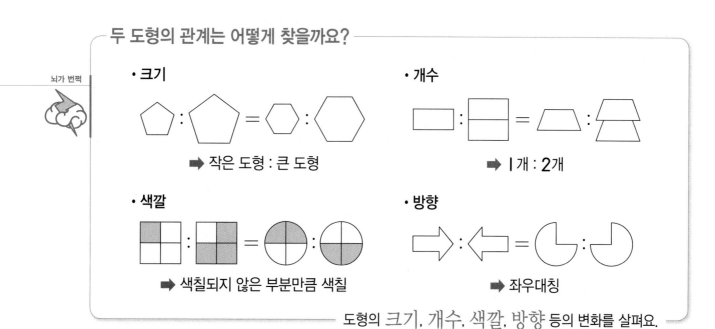

- 크기

➡ 작은 도형 : 큰 도형

- 개수

➡ 1개 : 2개

- 색깔

➡ 색칠되지 않은 부분만큼 색칠

- 방향

➡ 좌우대칭

도형의 크기, 개수, 색깔, 방향 등의 변화를 살펴요.

최상위 사고력 **모양의 관계를 보고 빈칸에 알맞은 모양을 그리세요.**

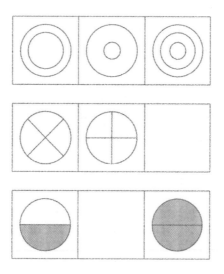

6-3. 매트릭스 유추

1 규칙을 찾아 빈칸에 알맞은 모양을 그리세요.

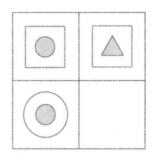

땀이 뻘뻘

2 규칙을 보고 빈칸에 알맞은 모양을 그리세요.

> **규칙**
> ① 가로줄에서는 오른쪽으로 갈수록 세로로 한 줄씩 늘어납니다.
> ② 세로줄에서는 아래로 갈수록 가로로 한 줄씩 늘어납니다.

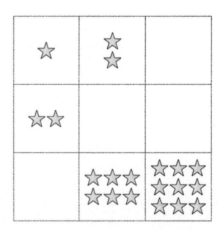

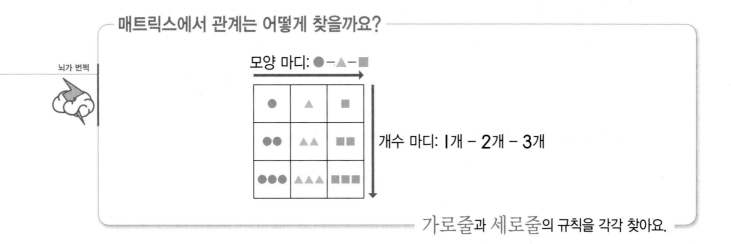

뇌가 번쩍

매트릭스에서 관계는 어떻게 찾을까요?

모양 마디: ● – ▲ – ■

개수 마디: 1개 – 2개 – 3개

가로줄과 세로줄의 규칙을 각각 찾아요.

최상위 사고력 규칙을 찾아 빈칸에 알맞은 모양을 그리세요.

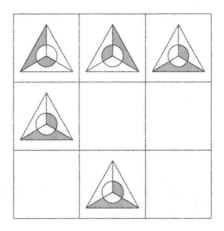

TIP 색칠된 부분의 변화를 살펴보세요.

정답과 풀이 27쪽 ▶

1 왼쪽과 같은 방법으로 빈칸에 알맞은 단어 **3개**를 쓰세요.

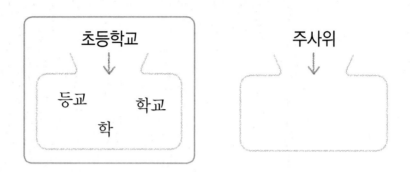

2 상자의 규칙을 찾아 모양을 알맞게 색칠하세요.

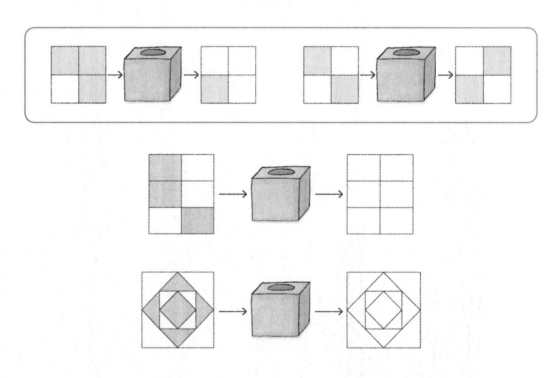

3 모양의 관계를 보고 빈칸에 알맞은 모양을 그리세요.

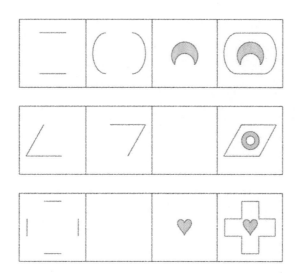

4 규칙을 찾아 마지막 모양을 완성하세요.

1 도형의 규칙을 찾아 ◯ 안에 알맞은 수를 써넣으세요.

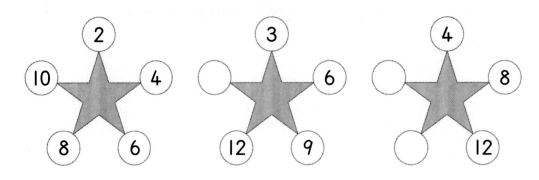

2 기호 ♣와 ♠의 규칙을 찾아 ☐ 안에 알맞은 수를 써넣으세요.

(1) 7♣＝5   8♣＝6   5♣＝3   9♣＝☐

(2) 2♠＝3   1♠＝1   5♠＝9   4♠＝☐

3 알파벳과 수 사이의 관계를 찾아 빈칸에 알맞은 수를 써넣으세요.

알파벳	A	E	F	K	L	M	T
수	3	4	3	3	2		

4 단어의 관계를 보고 같은 것끼리 선으로 이으세요.

냉장고 : 음식   과일 : 사과   바늘 : 실

칫솔 : 치약   세탁기 : 빨래   도시 : 서울

정답과 풀이 29쪽 ▶

5 모양의 관계를 보고 빈칸에 알맞은 모양을 그리세요.

6 모양의 관계를 보고 빈칸에 알맞은 기호를 써넣으세요.

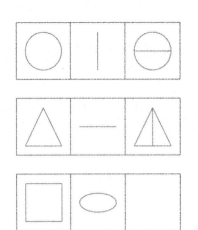

ㄱ ㄴ ㄷ ㄹ

확률과 통계(1)

7 가짓수
7-1 선을 이어 구하는 가짓수
7-2 두 가지를 고르는 가짓수
7-3 순서가 있는 가짓수

8 길의 가짓수
8-1 길의 가짓수
8-2 가장 짧은 길의 가짓수
8-3 조건이 있는 길의 가짓수

확률과 통계(1)

7-1. 선을 이어 구하는 가짓수

1 재호가 옷을 입는 방법은 모두 몇 가지인지 선을 이어 구하세요.

2 눈 모양과 입 모양을 1개씩 골라서 얼굴을 만들려고 합니다. 만들 수 있는 얼굴은 모두 몇 가지인지 구하세요.

 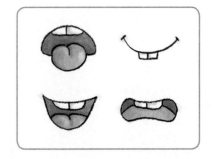

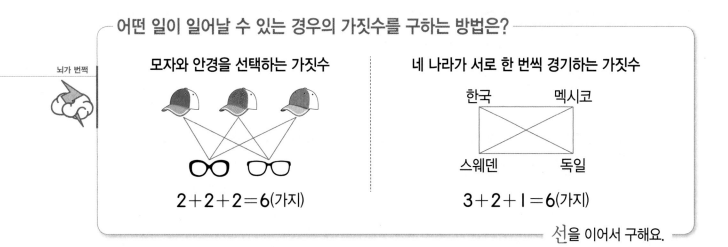

어떤 일이 일어날 수 있는 경우의 가짓수를 구하는 방법은?

모자와 안경을 선택하는 가짓수

$2+2+2=6$(가지)

네 나라가 서로 한 번씩 경기하는 가짓수

한국   멕시코

스웨덴   독일

$3+2+1=6$(가지)

선을 이어서 구해요.

최상위 사고력 친구 4명이 서로 한 번씩 악수를 하려고 합니다. 악수를 모두 몇 번 해야 하는지 구하세요.

7-2. 두 가지를 고르는 가짓수

1 지우는 과녁에 화살 2발을 쏘았습니다. 과녁 밖으로 빗나간 화살이 없다고 할 때, 얻을 수 있는 점수를 과녁에 ✕표 하여 모두 구하세요.

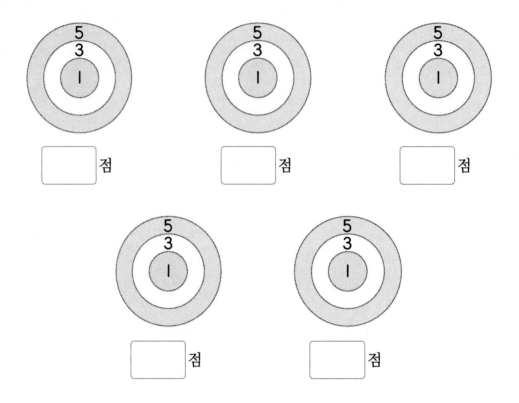

☐ 점　　　　☐ 점　　　　☐ 점

☐ 점　　　　☐ 점

 2 네 종류의 인형이 있습니다. 서로 다른 종류의 인형 2개를 고르는 방법은 모두 몇 가지인지 구하세요. (단, 같은 종류의 인형은 서로 구분되지 않습니다.)

두 가지를 고르는 방법의 가짓수를 구하는 방법은?

뇌가 번쩍

같은 공을 뽑는 경우

➡ 3가지

다른 공을 뽑는 경우

➡ 3가지

같은 것을 고르는 경우와 다른 것을 고르는 경우로 나누어 구해요.

**최상위
사고력**

세 종류의 젤리가 있습니다. 젤리 3개를 고르는 방법은 모두 몇 가지인지 구하세요.
(단, 같은 종류의 젤리는 서로 구분되지 않습니다.)

7-3. 순서가 있는 가짓수

1 주머니 안에 있는 구슬 중 두 개를 꺼내 흰색 접시와 분홍색 접시 위에 1개씩 놓으려고 합니다. 구슬을 놓는 방법은 모두 몇 가지인지 구하세요.

땀이 뻘뻘

2 서우, 민수, 은지가 나란히 서서 사진을 찍으려고 합니다. 나란히 서는 순서를 정하는 방법은 모두 몇 가지인지 구하세요.

서우　　민수　　은지

모든 경우를 중복되거나 빠짐없이 구하는 방법은?

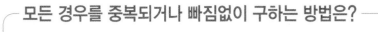

| 1 | 2 | 3 |

```
1 ┌ 2 ─ 3        2 ┌ 1 ─ 3        3 ┌ 1 ─ 2
  └ 3 ─ 2          └ 3 ─ 1          └ 2 ─ 1
```

➡ 만들 수 있는 세 자리 수는 2+2+2＝6(가지)입니다.

나뭇가지 그림을 이용해서 구해요.

최상위 사고력

4명의 친구 중에서 회장 1명과 부회장 1명을 뽑으려고 합니다. 나올 수 있는 선거 결과는 모두 몇 가지인지 구하세요.

회장, 부회장 선거 후보

한정우 박가연 성소연 이민우

1   청소 당번 2명을 뽑으려고 합니다. 1명은 가 모둠에서, 다른 1명은 나 모둠에서 뽑을 때 청소 당번을 뽑는 방법은 모두 몇 가지인지 구하세요.

가 모둠   나 모둠

2   친구 5명이 서로 한 번씩 가위바위보를 하려고 합니다. 가위바위보를 모두 몇 번 해야 하는지 구하세요.

3 전구 4개 중 1개 또는 2개를 켜려고 합니다. 전구를 켜는 방법은 모두 몇 가지인지 구하세요.

4 색연필 5자루 중 2자루를 사용하여  모양을 색칠하려고 합니다. 색칠하는 방법은 모두 몇 가지인지 구하세요.

8-1. 길의 가짓수

1 생쥐가 치즈를 먹으러 가는 길을 모두 그리세요. (단, 지나간 지점은 다시 지나가지 않습니다.)

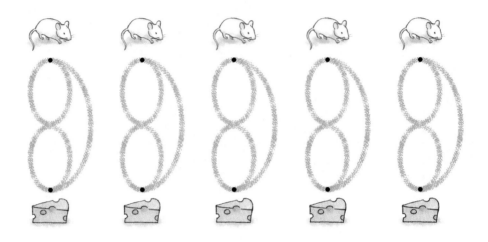

2 혜영이가 과자 집으로 가는 길은 모두 몇 가지인지 구하세요. (단, 지나간 지점은 다시 지나가지 않습니다.)

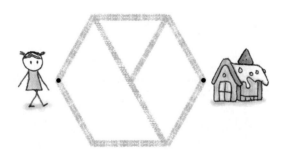

길의 가짓수를 구하는 방법은?

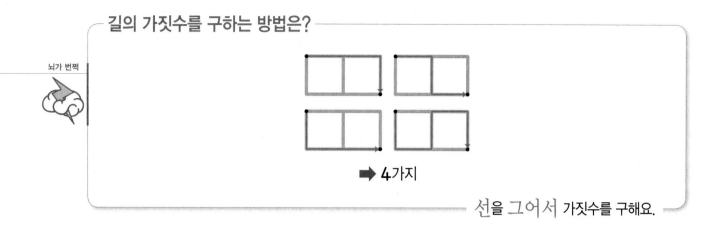

➡ **4**가지

선을 그어서 가짓수를 구해요.

**최상위
사고력**
곰과 원숭이가 바나나가 있는 곳으로 가는 길은 어느 동물이 몇 가지 더 많은지
구하세요. (단, 지나간 지점은 다시 지나가지 않습니다.)

정답과 풀이 35쪽 ▶

8-2. 가장 짧은 길의 가짓수

1 고양이가 생쥐를 잡으러 가는 가장 짧은 길을 모두 그리세요.

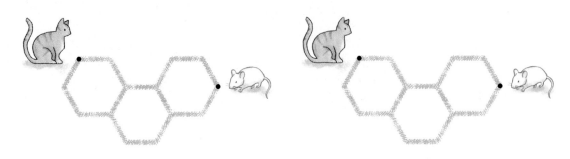

2 개미가 과자를 먹으러 가는 가장 짧은 길은 모두 몇 가지인지 구하세요.

땀이 삘삘

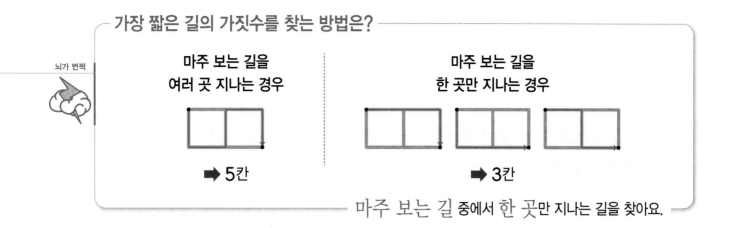

가장 짧은 길의 가짓수를 찾는 방법은?

마주 보는 길을
여러 곳 지나는 경우

➡ 5칸

마주 보는 길을
한 곳만 지나는 경우

➡ 3칸

마주 보는 길 중에서 한 곳만 지나는 길을 찾아요.

**최상위
사고력**

지웅이가 분식점으로 가는 가장 짧은 길은 모두 몇 가지인지 구하세요.

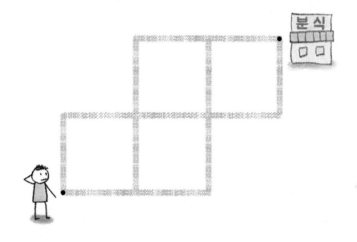

8-3. 조건이 있는 길의 가짓수

1 다람쥐가 문 2개를 통과하여 도토리를 먹으러 가는 길은 모두 몇 가지인지 구하세요.

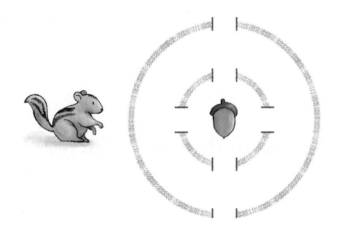

2 수호가 자동차를 타고 집으로 가는 길은 모두 몇 가지인지 구하세요. (단, 자동차는 오른쪽 방향과 위쪽 방향으로만 갈 수 있습니다.)

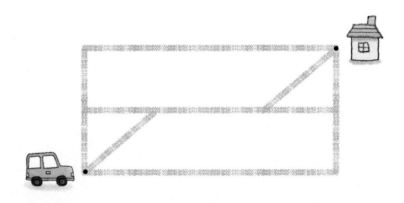

민호가 병원을 들러 집으로 가는 가장 짧은 길은 모두 몇 가지인지 구하세요.

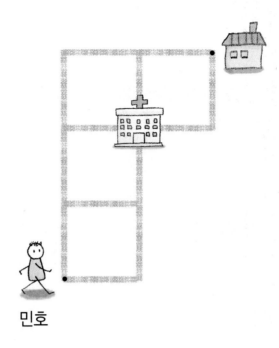

민호

가연이가 공사장을 피해 유치원으로 가는 가장 짧은 길은 모두 몇 가지인지 구하세요.

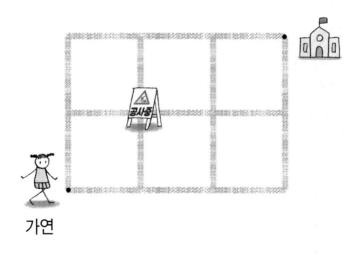

가연

정답과 풀이 37쪽 ▶

1   학교에서 문구점으로 가는 길은 모두 몇 가지인지 구하세요. (단, 지나간 지점은 다시 지나가지 않습니다.)

2   햄스터가 해바라기 씨를 먹으러 가는 길은 모두 몇 가지인지 구하세요. (단, 지나간 지점은 다시 지나가지 않습니다.)

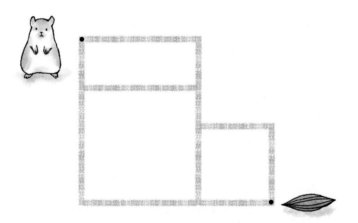

3 강아지가 집으로 가는 가장 짧은 길은 모두 몇 가지인지 구하세요.

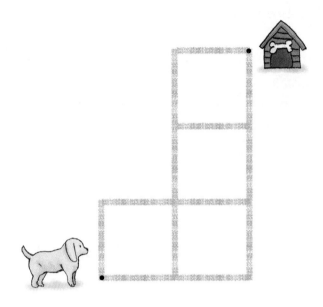

4 두더지가 길이 막힌 곳을 피해 집으로 가는 가장 짧은 길은 모두 몇 가지인지 구하세요.

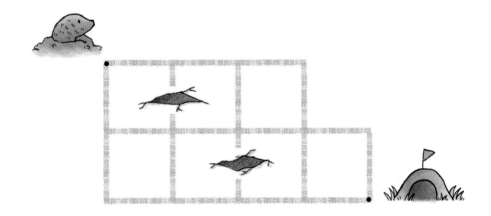

정답과 풀이 38쪽 ▶

1 빵과 음료수를 1개씩 고르려고 합니다. 간식을 고를 수 있는 방법은 모두 몇 가지
   인지 구하세요.

2 상자에 세 종류의 구슬이 들어 있습니다. 구슬 2개를 꺼내는 방법은 모두 몇 가
   지인지 구하세요. (단, 같은 종류의 구슬은 서로 구분되지 않습니다.)

3 3명의 학생 중 2명을 뽑아 1명은 책상 정리, 다른 1명은 책장 정리를 하려고 합니다. 책상 정리와 책장 정리를 할 학생 2명을 뽑는 방법은 모두 몇 가지인지 구하세요.

박호연　　　김새봄　　　이진우

4 꿀벌이 벌집으로 가는 길은 모두 몇 가지인지 구하세요. (단, 지나간 지점은 다시 지나가지 않습니다.)

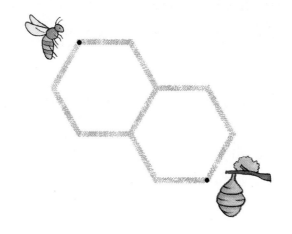

5 토끼가 당근을 먹으러 가는 가장 짧은 길은 모두 몇 가지인지 구하세요.

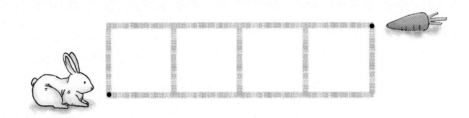

6 집에서 놀이터에 갔다가 다시 집으로 돌아오는 방법은 모두 몇 가지인지 구하세요.

정답과 풀이 40쪽 ▶

확률과 통계(2)

9 문제 해결 방법 찾기(1)

9-1 표 만들어 해결하기

9-2 그림 그려 해결하기

9-3 예상하고 확인하여 해결하기

10 문제 해결 방법 찾기(2)

10-1 옮기기

10-2 성냥개비

10-3 이기는 게임

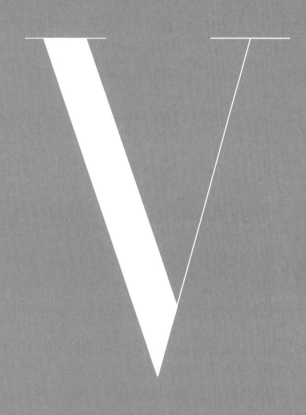

확률과 통계(2)

9-1. 표 만들어 해결하기

1 구슬 10개를 파란색 주머니와 노란색 주머니에 나누어 담으려고 합니다. 표를 완성하고 파란색 주머니에 구슬을 더 많이 담는 방법은 몇 가지인지 구하세요. (단, 주머니에 적어도 구슬 1개는 담아야 합니다.)

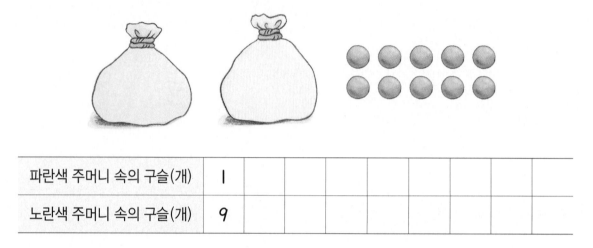

파란색 주머니 속의 구슬(개)	1							
노란색 주머니 속의 구슬(개)	9							

💡 '적어도'라는 말은 '가장 적은 개수'를 뜻해요.

2 과자를 은수는 9개, 지우는 15개 가지고 있습니다. 은수는 하루에 1개씩, 지우는 하루에 3개씩 과자를 먹는다고 할 때 남은 과자 수가 같아지는 날은 며칠째인지 구하세요.

표를 만들어 문제를 어떻게 해결할까요?

㈜ 연필 12자루를 미희와 인호가 나누어 가지려고 합니다. 미희가 인호보다 2자루 더 가지려면 미희와 인호는 각각 몇 자루씩 나누어 가져야 하는지 구하세요.

1씩 커지도록 수를 씁니다.

미희가 가진 연필 수(자루)	1	2	3	4	5	6	7
인호가 가진 연필 수(자루)	11	10	9	8	7	6	5

두 수의 합이 12가 되도록 아래칸에 수를 씁니다.

➡ 미희는 7자루, 인호는 5자루입니다.

먼저 표로 나타내어 모든 경우를 빠짐없이 찾아요.

최상위 사고력

연우의 나이는 7살, 동생 연수의 나이는 3살입니다. 두 사람의 나이의 합이 16이 되는 것은 몇 년 후인지 구하세요.

연우   연수

9-2. 그림 그려 해결하기

1 사탕 16개를 6봉지에 나누어 담았습니다. 한 봉지에 사탕을 2개 또는 3개씩 담았을 때 사탕을 알맞게 색칠하고, 2개씩 담은 봉지는 몇 봉지인지 구하세요.

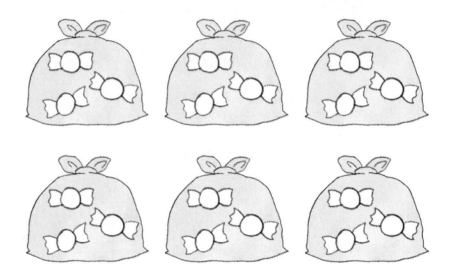

땀이 뻘뻘

2 구멍이 2개인 단추와 구멍이 4개인 단추가 모두 8개 있습니다. 구멍 수가 모두 20개일 때 구멍이 2개인 단추와 구멍이 4개인 단추는 각각 몇 개인지 그림을 그려 구하세요.

그림을 그려 문제를 어떻게 해결할까요?

뇌가 번쩍

예 다리가 **2**개인 의자와 다리가 **3**개인 의자가 모두 **5**개 있습니다. 다리 수가 모두 **13**개일 때 다리가 **2**개인 의자는 몇 개인지 구하세요.

다리 **2**개씩 그리기   적은 개수만큼 더 그리기

다리가 **2**개인 의자: **2**개
다리가 **3**개인 의자: **3**개

그림을 그린 다음 개수에 맞게 더 그리거나 줄여요.

**최상위
사고력**

두발자전거와 세발자전거가 모두 **7**대 있습니다. 바퀴 수가 모두 **18**개일 때 두발자전거와 세발자전거는 각각 몇 대인지 차례로 구하세요.

9-3. 예상하고 확인하여 해결하기

1 뒤집어진 카드에 적힌 두 수의 합은 9, 차는 5입니다. ☐ 안에 알맞은 수를 써넣고, 서아와 민수 중 누구의 예상이 맞는지 쓰세요.

2 화살 8발을 던져서 얻은 점수의 합이 18점입니다. 3점 과녁을 맞춘 화살은 몇 발인지 예상하고 확인하는 방법으로 구하세요.

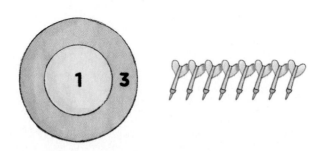

어떻게 예상하고 확인해야 할까요?

예 6개의 문제를 풀어서 맞히면 **3**점, 틀리면 **2**점을 얻습니다. 얻은 점수가 **16**점일 때 맞힌 문제는 몇 개인지 구하세요.

예상 1 맞힌 문제 **3**개	예상 2 맞힌 문제 **4**개
3+3+3+2+2+2=15(점)	3+3+3+3+2+2=16(점)
(×)	(○)
16점보다 낮으므로 맞힌 문제 수를 늘립니다.	예상이 맞습니다.

➡ 맞힌 문제는 **4**개입니다.

중간부터 예상해 봐요.

최상위 사고력

붙임딱지 20개를 남학생은 4개씩, 여학생은 2개씩 나누어 가지려고 합니다. 학생이 모두 6명일 때 남학생은 몇 명인지 예상하고 확인하는 방법으로 구하세요.

정답과 풀이 43쪽 ▶

1 혜영이 모둠과 정아 모둠이 피구 경기를 하였습니다. 두 모둠의 점수의 합은 15점이고, 혜영이 모둠이 7점 차이로 이겼습니다. 표를 완성하고, 혜영이 모둠의 점수를 구하세요.

혜영이 모둠의 점수(점)	8	9					
정아 모둠의 점수(점)	7						
점수의 차(점)							

2 연우는 20쪽짜리 책을 매일 2쪽씩, 지우는 15쪽짜리 책을 매일 1쪽씩 읽고 있습니다. 두 사람이 가진 책의 남은 쪽수가 같아지는 날은 며칠째인지 구하세요.

3 금화 18개를 주머니 5개에 4개 또는 3개씩 나누어 담았습니다. 금화가 4개씩 담겨 있는 주머니는 모두 몇 개인지 구하세요.

4 형우와 지아는 이기면 3점, 지면 1점을 얻는 가위바위보를 7번 하였습니다. 형우가 얻은 점수가 19점일 때 형우는 모두 몇 번 이겼는지 구하세요.

10-1. 옮기기

1 금화 1개를 옮겨서 가로줄과 세로줄에 놓인 금화의 수가 모두 3개가 되도록 만드세요.

2 구슬 2개를 옮겨서 네모 모양을 만드세요.

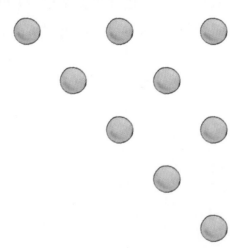

가장 적은 수의 구슬을 옮기는 방법은?

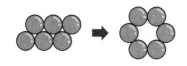

① 모양 겹치기   ② 겹쳐지지 않은 구슬 옮기기

모양을 겹친 후 겹쳐지지 않은 구슬을 옮겨요.

최상위 사고력

다음과 같이 ▽ 모양으로 볼링핀이 놓여 있습니다. 볼링핀을 옮겨 △ 모양이 되도록 만들려면 적어도 몇 개의 볼링핀을 움직여야 하는지 구하세요.

10-2. 성냥개비

1 성냥개비 3개를 옮겨서 물고기가 오른쪽을 보도록 만드세요.

 2 성냥개비로 컵 2개를 만들었습니다. 성냥개비 4개를 옮겨서 뒤집어진 컵 2개를 만드세요.

💡 컵의 모양과 크기는 똑같아야 해요.

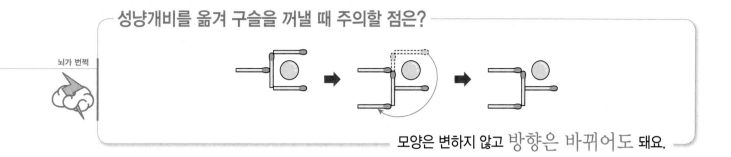
**최상위
사고력**

강아지가 집에 갈 수 있도록 성냥개비 1개를 옮기세요.

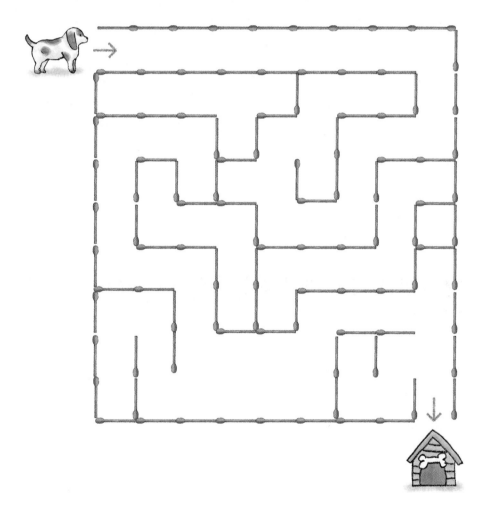

10-3. 이기는 게임

1 지우와 연우가 사탕 가져가기 게임을 합니다. 지우가 먼저 시작했을 때, 지우가 이기기 위해 처음에 무조건 가져가야 하는 사탕에 모두 ○표 하세요.

> ### 규칙
> ① 번갈아 가며 한 번에 사탕을 1개 또는 2개씩 가져갑니다.
> ② 2개를 가져갈 때는 이웃한 사탕만 가져갈 수 있습니다.
> ③ 더 많은 사탕을 가져가는 사람이 이깁니다.

2 정아와 혜영이가 구슬 가져가기 게임을 합니다. 정아가 먼저 시작했을 때, 정아가 이기기 위해 처음에 몇 개의 구슬을 가져가야 하는지 구하세요.

> ### 규칙
> ① 번갈아 가며 한 번에 구슬을 1개 또는 2개씩 가져갑니다.
> ② 마지막 구슬을 가져가는 사람이 이깁니다.

이기기 위해 가져와야 하는 구슬을 찾는 방법은?

규칙

① 번갈아 가며 한 번에 구슬을 1개 또는 2개씩 가져갑니다.
② 마지막 바둑돌을 가져간 사람이 이깁니다.

마지막에 가져가는 구슬   그 전에 가져가야 하는 구슬

거꾸로 생각하며 반드시 가져가야 하는 구슬을 찾아요.

최상위 사고력

은우와 성수가 바둑돌 옮기기 게임을 합니다. 먼저 시작한 은우와 나중에 시작한 성수 중에서 항상 이기는 사람의 이름을 쓰세요.

규칙

• 번갈아 가며 바둑돌을 옮깁니다.
• 오른쪽으로 한 번에 1칸 또는 2칸 또는 3칸씩 옮깁니다.
• 바둑돌을 도착 으로 옮긴 사람이 이깁니다.

1   금화 1개를 옮겨서 가로줄과 세로줄에 놓인 금화의 수가 모두 4개가 되도록 만드세요.

(1)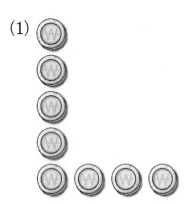

(2)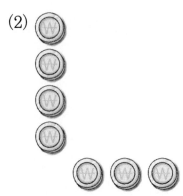

2   구슬을 옮겨 위, 아래가 뒤집힌 모양이 되도록 만들려면 적어도 몇 개의 구슬을 옮겨야 하는지 구하세요.

3 쌓기나무 4개로 만든 모양을 성냥개비로 만든 것입니다. 성냥개비 1개를 옮겨서 쌓기나무 3개로 만든 모양을 만드세요.

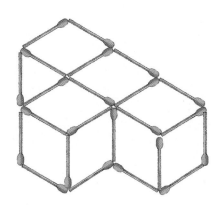

4 소희와 범호가 번갈아 가며 젤리를 1개 또는 2개씩 가져갑니다. 마지막 젤리를 가져가는 사람이 이긴다고 할 때, 먼저 시작한 소희와 나중에 시작한 범호 중에서 이기는 사람은 누구인지 이름을 쓰세요.

1 구슬 9개를 혜영이와 정아가 나누어 가지려고 합니다. 혜영이가 정아보다 구슬을 더 많이 가지는 경우는 몇 가지인지 구하세요. (단, 한 사람이 적어도 1개의 구슬은 가져야 합니다.)

2 토끼와 닭이 모두 8마리 있습니다. 두 동물의 다리 수가 모두 20개라고 할 때 토끼는 몇 마리인지 그림을 그려 구하세요.

3 2점짜리 문제와 3점짜리 문제가 모두 7문제 있습니다. 문제를 모두 맞혀서 얻은 점수가 17점일 때, 3점짜리 문제는 모두 몇 문제인지 예상하고 확인하여 구하세요.

4 구슬 2개를 옮겨서 모양은 변하지 않고 방향만 변하게 만드세요.

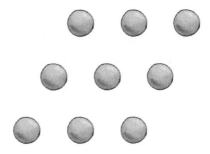

정답과 풀이 49쪽 ▶

5 성냥개비 2개를 옮겨서 돼지가 오른쪽을 보도록 만드세요.

6 지웅이와 지원이가 사탕 가져가기 게임을 합니다. 지웅이가 먼저 2개를 가져갔을 때, 지원이가 이기려면 지원이는 몇 개를 가져가야 하는지 구하세요.

> ### 규칙
> ① 번갈아 가며 한 번에 사탕을 1개 또는 2개씩 가져갑니다.
> ② 마지막 사탕을 가져가는 사람이 이깁니다.

MEMO

 MEMO

최상위
연산
수학

1~6학년 (학기용)

단순 계산이 아닌
수학 원리를
알아가는
수학 공부의 첫 걸음,
같아 보이지만
완전히 다른 연산!

초등 첫 수학은 디딤돌!

아이의 학습 능력과 학습 목표에 따라
맞춤 선택을 할 수 있도록
다양한 교재를 제공합니다.

문제해결력 강화 문제유형, 응용

개념 다지기 원리, 기본

개념 + 문제해결력 강화를 동시에

기본+유형, 기본+응용

정답과 풀이

PreB

상위권의 기준

PreB

7세

최상위
사고력

수학 좀 한다면

디딤돌

Ⅰ 연산

최상위 사고력 **1 덧셈의 활용**

1-1. 10 만들기

1 펭귄이 가로, 세로로 한 칸씩 움직여서 물고기가 있는 곳까지 가려고 합니다. 펭귄이 지나간 칸에 있는 수의 합이 10이 되도록 길을 그리세요.

세 수의 합이 10이 되도록 묶는 방법은?

가장 큰 수를 중심으로 합이 10이 되도록 묶어요.

최상위 사고력
가로줄과 세로줄에 있는 ☆ 모양이 모두 10개가 되도록 빈칸에 알맞은 수의 ☆ 모양을 그려 넣으세요.

☆☆	☆☆☆☆	☆☆☆	★★
☆☆ ☆☆	☆	★★ ★★	☆
★	★★ ★★	★★★	☆☆☆
☆☆☆	★★	☆	★★ ★★

2 세 수의 합이 10이 되도록 세 칸씩 묶으세요.

(1)
5	3	8
6	2	1
3	1	1

(2)
1	3	4
2	7	3
4	4	2

저자 톡! 십진법의 기초가 되는 10을 여러 가지 방법으로 모으고 더하는 과정을 통하여 수 체계 및 수 감각의 기초를 형성할 수 있습니다.

1

첫 번째 칸의 1과 마지막 칸의 2는 반드시 지나야 합니다.

1+2=3이므로 중간에 지나간 칸에 있는 수의 합이 7이 되도록 길을 그립니다.

➡ 1+3+1+2+1+2=10

2

(1) 8, 6, 5를 중심으로 합이 10인 세 수를 찾습니다.

  ➡ 5+3+2=10

    8+1+1=10

    6+3+1=10

(2) 7, 4, 4를 중심으로 합이 10인 세 수를 찾습니다.

  ➡ 1+2+7=10

    3+4+3=10

    4+4+2=10

최상위 사고력

2	3	3	㉠
4	1	㉡	1
㉢	㉂	㉣	3
3	㉃	1	㉤

먼저 ☆ 모양의 수를 세어 본 다음 빈칸이 한 칸만 있는 줄부터 구합니다.

2+3+3+㉠=10, 8+㉠=10, ㉠=10-8=2

4+1+㉡+1=10, 6+㉡=10, ㉡=10-6=4

2+4+㉢+3=10, 9+㉢=10, ㉢=10-9=1

3+㉡+㉣+1=10, 3+4+㉣+1=10,

8+㉣=10, ㉣=10-8=2

㉠+1+3+㉤=10, 2+1+3+㉤=10,

6+㉤=10, ㉤=10-6=4

㉢+㉂+㉣+3=10, 1+㉂+2+3=10,

6+㉂=10, ㉂=10-6=4

3+㉃+1+㉤=10, 3+㉃+1+4=10,

8+㉃=10, ㉃=10-8=2

1-2. 덧셈식 만들기

1 1부터 9까지의 수 중에서 □ 안에 알맞은 수를 써넣어 합이 9가 되는 덧셈식을 모두 쓰세요. (단, 수의 순서가 바뀐 것은 같은 식으로 생각합니다.)

$4+\square+\square=9$

$4+1+4=9,$
$4+2+3=9$

합이 5가 되는 덧셈식을 찾는 방법은?
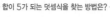

| 1 | 2 | 3 | 4 |

① 가장 큰 수가 4인 경우: $4+1=5$
② 가장 큰 수가 3인 경우: $3+2=5$
기준을 정해서 합이 5가 되는 덧셈식을 찾아요.

최상위 사고력 주어진 수 카드 중에서 합이 8이 되도록 수 카드를 뽑으려고 합니다. 뽑을 수 있는 경우는 모두 몇 가지인지 구하세요.

3가지

| 1 | 1 | 1 | 1 | 2 | 2 | 5 |

2 주머니 안에 6개의 구슬이 있습니다. 구슬을 꺼내어 합이 6이 되는 덧셈식을 모두 만드세요. (단, 수의 순서가 바뀐 것은 같은 식으로 생각합니다.)

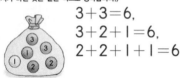

$3+3=6,$
$3+2+1=6,$
$2+2+1+1=6$

저자 톡! 덧셈은 '+', '='의 기호를 써서 덧셈식으로 쓸 수 있습니다. 여러 가지 방법으로 덧셈식을 만들어 보면서 문제 해결 능력 및 창의 융합 정보 처리 능력을 기를 수 있습니다.

1

$4+\square+\square=9$이므로 $\square+\square=9-4=5$입니다.
5는 1과 4, 2와 3으로 가를 수 있습니다.
따라서 합이 9가 되는 식은
$4+1+4=9, 4+2+3=9$입니다.

2

• 구슬 2개를 꺼내어 합이 6이 되는 경우
➡ $3+3=6$
• 구슬 3개를 꺼내어 합이 6이 되는 경우
➡ $3+2+1=6$
• 구슬 4개를 꺼내어 합이 6이 되는 경우
➡ $2+2+1+1=6$

최상위 사고력

• 수 카드 5를 뽑은 경우
나머지 수 카드의 합이 3이 되어야 합니다.
➡ $5+2+1=8, 5+1+1+1=8$
• 수 카드 5를 뽑지 않은 경우
➡ $2+2+1+1+1+1=8$
따라서 뽑을 수 있는 경우는 모두 3가지입니다.

해결 전략
수 카드 5를 뽑은 경우와 뽑지 않은 경우로 나누어 생각합니다.

1-3. 덧셈 퍼즐

1 1부터 7까지의 수를 한 번씩 모두 사용하여 한 줄에 놓인 세 수의 합이 모두 10이 되도록 퍼즐을 완성하세요.

(예)

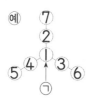

가로줄과 세로줄에 놓인 세 수의 합을 같게 만드는 방법은?

$1+4=2+3$
$1+5=2+4$ ➡
$2+5=3+4$

먼저 두 수의 합이 같은 경우를 찾아요.

2 두 수의 위치를 바꾸어 각각의 가로줄과 세로줄에 놓인 세 수의 합이 모두 같아지게 하려고 합니다. 바꿀 수 있는 두 수를 찾아 색칠하세요.

최상위 사고력 성냥개비 한 개를 옮겨서 한 줄에 놓인 성냥개비의 수의 합이 모두 같아지도록 만드세요.

(예)

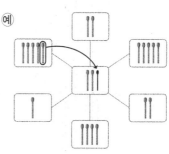

저자 톡! 앞에서 학습한 덧셈의 계산을 얼마나 잘 알고 있는지 퍼즐 형식으로 재미있게 확인하는 과정입니다. 한 줄에 놓인 수의 합이 모두 같아지도록 퍼즐을 완성하는 과정에서 수를 조작하는 능력을 기를 수 있습니다.

1

세 줄이 모두 모이는 ㉠에 1을 써넣고 남은 수를 합이 9가 되도록 둘씩 짝을 짓습니다.

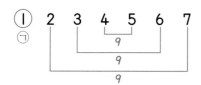

이외에도 다양한 방법으로 퍼즐을 완성할 수 있습니다.

2

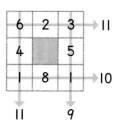

먼저 각각의 가로줄과 세로줄에 놓인 세 수의 합을 구합니다.
합이 9인 줄에 있는 한 수와 합이 11인 줄에 있는 한 수를 서로 바꾸어 각각의 가로줄과 세로줄에 놓인 세 수의 합이 모두 10이 되도록 합니다.

최상위 사고력

먼저 성냥개비의 수를 세어 본 다음 한 줄에 놓인 성냥개비의 수의 합을 구합니다.

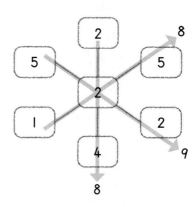

합이 9인 줄에 있는 성냥개비 한 개를 옮겨서 한 줄에 놓인 성냥개비의 수의 합이 모두 9가 되도록 만듭니다.
이외에도 다양한 방법으로 한 줄에 놓인 성냥개비의 수의 합이 모두 같아지도록 만들 수 있습니다.

최상위 사고력

1 주어진 수 카드 중에서 합이 7이 되도록 수 카드를 뽑으려고 합니다. 뽑을 수 있는 경우는 모두 몇 가지인지 구하세요.

3가지

2 주사위 3개를 동시에 던져서 나온 세 수의 합이 10이 되는 경우는 모두 몇 가지인지 구하세요. (단, (1, 2, 2)가 나온 경우와 (2, 1, 2), (2, 2, 1)이 나온 경우는 한 가지로 생각합니다.)

6가지

3 가로줄과 세로줄에 놓인 세 수의 합이 모두 10이 되도록 빈칸에 알맞은 수를 써넣으세요.

2	5	3
3	1	6
5	4	1

4 ♠ 모양 한 개를 옮겨서 한 줄에 놓인 ♠ 모양의 수의 합이 모두 같아지도록 만드세요.

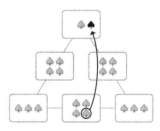

1

- 수 카드 **5**를 뽑은 경우
  나머지 수 카드의 합이 **2**가 되어야 합니다.
  ➡ 5+2=7
- 수 카드 **4**를 뽑은 경우
  나머지 수 카드의 합이 **3**이 되어야 합니다.
  ➡ 4+3=7, 4+2+1=7

따라서 뽑을 수 있는 경우는 모두 **3가지**입니다.

2

- 가장 큰 수가 **6**인 경우
  나머지 두 수의 합이 **4**가 되어야 합니다.
  ➡ (6, 3, 1), (6, 2, 2)
- 가장 큰 수가 **5**인 경우
  나머지 두 수의 합이 **5**가 되어야 합니다.
  ➡ (5, 4, 1), (5, 3, 2)
- 가장 큰 수가 **4**인 경우
  나머지 두 수의 합이 **6**이 되어야 합니다.
  ➡ (4, 4, 2), (4, 3, 3)

따라서 세 수의 합이 10이 되는 경우는 모두 **6가지**입니다.

3

빈칸이 한 칸만 있는 줄부터 구합니다.

2	㉠	3
㉣	㉤	㉢
㉡	4	1

2+㉠+3=10, 5+㉠=10, ㉠=10-5=5
㉡+4+1=10, ㉡+5=10, ㉡=10-5=5
3+㉢+1=10, 4+㉢=10, ㉢=10-4=6
2+㉣+㉡=10, 2+㉣+5=10, 7+㉣=10,
㉣=10-7=3
㉠+㉤+4=10, 5+㉤+4=10, 9+㉤=10,
㉤=10-9=1

4

먼저 ♠ 모양의 수를 세어 본 다음 한 줄에 놓인 ♠ 모양의 수의 합을 구합니다. ♠ 모양 한 개를 옮겨서 한 줄에 놓인 ♠ 모양의 수의 합이 모두 **9**가 되도록 만듭니다.

최상위 사고력 **2** 조건과 식

2-1. 뺄셈식 만들기

1 계산 결과가 5가 되도록 필요 없는 수에 ✕표 하세요.

$$9 - 3 - 4 = 5$$

 2 주어진 수 카드를 한 번씩 모두 사용하여 3개의 식을 완성하려고 합니다. □ 안에 알맞은 수를 써넣으세요.

| 3 | 4 | 5 | 6 | 7 | 8 |

(예) $7 - 5 = 2$ $6 - 3 = 3$ $8 - 4 = 4$

최상위 사고력 1, 2, 3, 4, 5, 6, 7, 8을 빈칸에 한 번씩 모두 써넣어 뺄셈 퍼즐을 완성하세요.

저자 톡! 뺄셈은 '−', '='의 기호를 써서 뺄셈식으로 쓸 수 있습니다. 여러 가지 방법으로 뺄셈식을 만들어 보면서 문제 해결 능력 및 창의 융합 정보 처리 능력을 기를 수 있습니다.

1

수를 하나씩 지우면서 계산 결과를 확인합니다.

$9 - 3 - 4 = 5(○)$

$9 - 3 - 4 = 6(×)$

2

다양한 방법으로 식을 완성할 수 있습니다.

방법1

$7 - 5 = 2$, $6 - 3 = 3$, $8 - 4 = 4$

방법2

$6 - 4 = 2$, $8 - 5 = 3$, $7 - 3 = 4$

해결 전략
두 수의 차가 4인 뺄셈식부터 먼저 생각합니다.

최상위
사고력

다양한 방법으로 뺄셈 퍼즐을 완성할 수 있습니다.

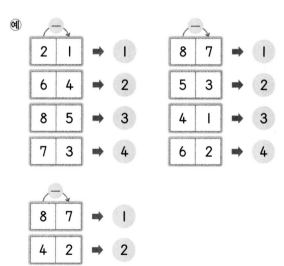

2-2. 주고 받기 문장제

1 두 쟁반에 있는 쿠키의 수를 같게 만들려고 합니다. □ 안에 알맞은 수를 써넣으세요.

가   나

(1) 가 쟁반에서 쿠키 **4** 개를 뺍니다.

(2) 나 쟁반에 쿠키 **4** 개를 더 놓습니다.

(3) 가 쟁반에 있는 쿠키 **2** 개를 나 쟁반으로 옮깁니다.

2 얼룩이와 누렁이가 같은 수의 뼈다귀를 가지려면 얼룩이가 누렁이에게 뼈다귀 몇 개를 주어야 하는지 구하세요.   **3개**

얼룩이

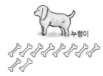
누렁이

같은 수로 만드는 방법은?

두 수의 차를 똑같이 나누어요.

최상위 사고력

금화 10개를 하늘색 주머니와 분홍색 주머니에 나누어 담으려고 합니다. 하늘색 주머니에 2개 더 담으려면 하늘색 주머니와 분홍색 주머니에 각각 몇 개씩 담아야 하는지 차례로 구하세요.   **6개, 4개**

저자 톡! 주고 받기 문장제는 같은 수씩 나누어 가질 수 있도록 수를 조작하는 문제입니다. 문장에 대한 이해력과 수에 대한 감각을 기를 수 있습니다.

1

가 쟁반에 있는 쿠키는 나 쟁반에 있는 쿠키보다 **4**개 더 많습니다.
(1) 가 쟁반에서 쿠키 **4**개를 뺍니다.
(2) 나 쟁반에 쿠키 **4**개를 더 놓습니다.
(3) **4**를 똑같은 두 수 **2**와 **2**로 가를 수 있으므로 가 쟁반에 있는 쿠키 **2**개를 나 쟁반으로 옮깁니다.

2

얼룩이가 가지고 있는 뼈다귀는 누렁이가 가지고 있는 뼈다귀보다 **6**개 더 많습니다.
6을 똑같은 두 수 **3**과 **3**으로 가를 수 있으므로 얼룩이가 누렁이에게 뼈다귀 **3**개를 주어야 합니다.

최상위 사고력

① 하늘색 주머니에 **2**개를 더 담아야 하므로 금화 **10**개에서 **2**개를 하늘색 주머니에 먼저 담습니다.
② 남은 금화 **8**개를 똑같은 두 수 **4**와 **4**로 가를 수 있으므로 하늘색 주머니와 분홍색 주머니에 각각 **4**개씩 담습니다.

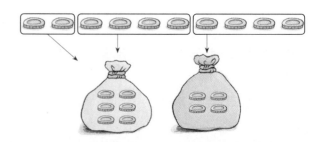

➡ 하늘색 주머니: **6**개, 분홍색 주머니: **4**개

2-3. 조건에 맞는 식

1 주어진 수 카드를 사용하여 조건에 맞는 뺄셈식을 만드세요.

조건
• 두 수는 짝수입니다.
• 두 수는 모두 4보다 큽니다.

$$\boxed{8}-\boxed{6}=2$$

💡 홀수는 1부터 2씩 뛰어 센 수, 짝수는 2부터 2씩 뛰어 센 수예요.

2 주어진 수 카드 중에서 조건에 맞는 세 수 ㉠, ㉡, ㉢을 찾아 ㉠+㉡+㉢의 계산 결과를 구하세요. **8**

조건
• ㉠은 짝수입니다.
• ㉠은 ㉡보다 1 큽니다.
• ㉡은 ㉢보다 2 큽니다.

조건에 맞는 뺄셈식을 구하는 방법은?

① 두 수는 모두 홀수입니다. ➡ 1, 3, 5, 7, 9
② 두 수의 차는 4입니다. ➡ (1, 5), (3, 7), (5, 9)
③ 두 수는 모두 3보다 큽니다. ➡ (5, 9)

따라서 조건에 맞는 뺄셈식은 9-5=4입니다.
➞ 알 수 있는 조건부터 차례로 구해요.

최상위 사고력 주어진 수 카드 중에서 조건에 맞는 세 수 ㉠, ㉡, ㉢을 찾아 ㉠+㉡-㉢의 계산 결과를 구하세요. **8**

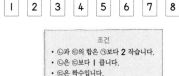

조건
• ㉡과 ㉢의 합은 ㉠보다 2 작습니다.
• ㉡은 ㉢보다 1 큽니다.
• ㉢은 짝수입니다.

저자 톡! 여러 가지 조건이 주어졌을 때 조건에 맞는 식을 찾는 주제입니다. 어떤 방법으로 조건에 맞는 식을 찾는 것이 효율적인지 생각하며 문제를 풀어 봅니다.

1

① 두 수는 모두 4보다 큽니다.
   ➡ 5, 6, 7, 8, 9
② 두 수는 짝수입니다.
   ➡ 6, 8
③ 두 수의 차는 2입니다.
   ➡ 8-6=2

2

① ㉠은 짝수입니다.
   ➡ 2, 4
② ㉠은 ㉡보다 1 큽니다.
   ➡ (㉠, ㉡)=(2, 1), (4, 3)
③ ㉡은 ㉢보다 2 큽니다.
   (㉠, ㉡)=(2, 1)인 경우 ㉢을 만족하는 수가 없습니다.
   ➡ ㉠=4, ㉡=3, ㉢=1
따라서 ㉠+㉡+㉢=4+3+1=8입니다.

최상위 사고력

① ㉢은 짝수입니다.
   ➡ 2, 4, 6, 8
② ㉡은 ㉢보다 1 큽니다.
   ➡ (㉡, ㉢)=(3, 2), (5, 4), (7, 6), (9, 8) 중 하나입니다.
③ ㉡과 ㉢의 합은 ㉠보다 2 작습니다.
   (㉡, ㉢)=(5, 4), (7, 6), (9, 8)인 경우 ㉠을 만족하는 수가 없습니다.
   ➡ ㉠=7, ㉡=3, ㉢=2
따라서 ㉠+㉡-㉢=7+3-2=8입니다.

최상위 사고력

1 |보기|와 같이 각각의 줄에 있는 수 한 개를 지워서 가로줄과 세로줄에 놓인 두 수의 합이 표 밖의 수가 되도록 하려고 합니다. 지워야 하는 수를 찾아 ✕표 하세요.

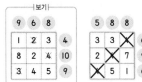

2 수 카드의 가장 큰 수와 가장 작은 수의 차가 4일 때 뒤집어진 수 카드가 될 수 있는 수를 모두 구하세요. **2, 7**

3   5   6   ▨

3 피자 8조각을 민이와 지수가 나누어 먹으려고 합니다. 민이가 지수보다 2조각 더 많이 먹으려면 민이와 지수는 각각 몇 조각씩 먹어야 하는지 차례로 구하세요.
5조각, 3조각

4 사탕 10개를 유미와 친구들이 나누어 먹었습니다. 다음 대화를 읽고 유미가 먹은 사탕의 수를 구하는 뺄셈식을 만드세요.

> 현서: 내가 먹은 사탕의 수는 2보다 1 작은 수야.
> 지우: 사탕 10개를 똑같이 두 묶음으로 나눈 것 중 한 묶음만큼을 먹었어.
> 유미: 현서와 지우가 먹고 남은 사탕을 내가 다 먹었어.

$$10-1-5=4$$ 또는 $$10-5-1=4$$

1

수를 하나씩 지우면서 계산 결과를 확인합니다.

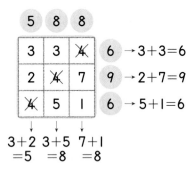

$$3+3=6$$
$$2+7=9$$
$$5+1=6$$

$3+2$ $3+5$ $7+1$
$=5$ $=8$ $=8$

2

• 가장 큰 수가 6인 경우
 가장 작은 수는 $6-4=2$입니다.
• 가장 작은 수가 3인 경우
 가장 큰 수는 $3+4=7$입니다.
따라서 뒤집어진 수 카드가 될 수 있는 수는 2, 7입니다.

> **해결 전략**
> 가장 큰 수가 6인 경우와 가장 작은 수가 3인 경우로 나누어 생각합니다.

3

① 8조각 중 2조각을 민이가 먹습니다.
② 남은 6조각을 똑같은 두 수 3과 3으로 가를 수 있으므로 민이와 지수가 각각 3조각씩 먹습니다.

➡ 민이: 5조각, 지수: 3조각

4

현서: 2보다 1 작은 수 ➡ 1개
지우: 10개를 똑같이 두 묶음으로 나눈 것 중 한 묶음
   ➡ 5개
따라서 유미가 먹은 사탕의 수를 구하는 뺄셈식은
$$10-1-5=4$$ 또는 $$10-5-1=4$$입니다.

Review Ⅰ 연산

1 가로, 세로로 덧셈식을 만들 수 있는 이웃한 세 수를 모두 찾아 |보기|와 같이 나타내세요.

| 보기 |
2 [6 + 3 = 9]

2 1, 2, 3, 4, 5, 6 중에서 서로 다른 세 수를 사용하여 세 가지 방법으로 다음 식을 완성하려고 합니다. □ 안에 알맞은 수를 써넣으세요. (단, 수의 순서가 바뀐 것은 같은 식으로 생각합니다.)

방법1 $6+2+1=9$

방법2 $5+3+1=9$

방법3 $4+3+2=9$

3 가로줄과 세로줄에 놓인 식이 모두 올바른 식이 되도록 빈칸에 알맞은 수를 써넣으세요.

4 주어진 수 카드를 한 번씩 모두 사용하여 3개의 식을 완성하려고 합니다. □ 안에 알맞은 수를 써넣으세요.

[1] [2] [3] [5] [7] [9]

$5-1=4$ $7-2=5$ $9-3=6$

1

가로로 덧셈식을 만들 수 있는 세 수를 모두 찾은 다음 세로로 덧셈식을 만들 수 있는 세 수를 모두 찾아 |보기|와 같이 나타냅니다.

2

세 수 중 가장 큰 수가 6, 5, 4인 경우로 나누어 식을 완성합니다.

• 가장 큰 수가 6인 경우
  나머지 두 수의 합이 3이 되어야 합니다.
  ➡ $6+2+1=9$

• 가장 큰 수가 5인 경우
  나머지 두 수의 합이 4가 되어야 합니다.
  ➡ $5+3+1=9$

• 가장 큰 수가 4인 경우
  나머지 두 수의 합이 5가 되어야 합니다.
  ➡ $4+3+2=9$

3

① $4+4=8$

② $8-1=7$

③ $\square-3=7$, $\square=7+3=10$

④ $4+\square=10$, $\square=10-4=6$

해결 전략
①, ②, ③, ④ 순서로 빈칸에 알맞은 수를 써넣습니다.

4

두 수의 차가 6인 식부터 생각합니다.

① $9-3=6$, $7-2=5$, $5-1=4$

② $7-1=6$, $\square-\square=5$, $9-5=4$에서 남은 수는 2, 3이므로 $\square-\square=5$를 만족하는 두 수가 없습니다.

따라서 $5-1=4$, $7-2=5$, $9-3=6$입니다.

5 흰색 토끼와 갈색 토끼가 같은 수의 당근을 가지려면 흰색 토끼가 갈색 토끼에게 당근 몇 개를 주어야 하는지 구하세요.　　4개

흰색 토끼

갈색 토끼

6 주어진 수 카드를 사용하여 조건에 맞는 뺄셈식을 만드세요.

1	3	5	7	8	9

조건
• 두 수는 모두 홀수입니다.
• 두 수는 모두 3보다 큽니다.

$\boxed{9} - \boxed{5} = 4$

5

흰색 토끼가 가지고 있는 당근은 갈색 토끼가 가지고 있는 당근보다 8개 더 많습니다.
8을 똑같은 두 수 4와 4로 가를 수 있으므로 흰색 토끼가 갈색 토끼에게 당근 4개를 주어야 합니다.

6

① 두 수는 모두 3보다 큽니다.
　➡ 5, 7, 8, 9
② 두 수는 홀수입니다.
　➡ 5, 7, 9
③ 두 수의 차는 4입니다.
　➡ 9 − 5 = 4

3 평면

3-1. 색종이 접어 자르기

1 색종이를 한 번 접어 선을 따라 잘랐을 때 나오는 모양을 찾아 기호를 쓰세요.

(1) ㉣

(2)  ㉢

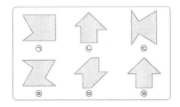

색종이를 접어 자른 후 펼친 모양을 어떻게 알 수 있을까요?

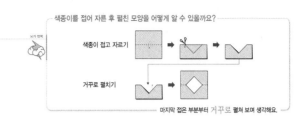

마지막 접은 부분부터 거꾸로 펼쳐 보며 생각해요.

색종이를 한 번 접어 구멍을 5번 뚫어서 만든 구멍이 아닌 것을 찾아 ○표 하세요.

2 색종이를 2번 접어 색칠한 부분을 자른 다음 펼쳤습니다. 마지막 색종이에 펼쳤을 때 모양을 그리세요.

저자 톡! 색종이를 접어 자른 후 펼친 모양을 찾을 때는 머릿속으로 접은 순서를 거꾸로 생각하면서 찾아봅니다. 이러한 경험을 통하여 공간 추론 능력을 기를 수 있습니다.

1

접은 부분을 거꾸로 펼쳐 보며 생각해 봅니다.

(1) (2)

최상위 사고력

색종이를 한 번 접어 구멍을 5번 뚫으면 접은 선을 중심으로 같은 간격으로 구멍이 10개 생깁니다.

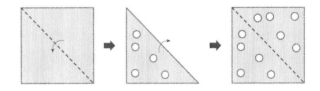

2

접은 부분을 거꾸로 펼쳐 보며 생각해 봅니다.

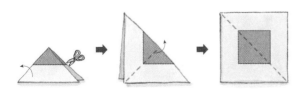

3-2. 투명 종이 겹치기

1 크기가 같은 투명 종이 2장을 완전히 겹쳐서 왼쪽 모양을 만들었습니다. 사용한 투명 종이 2장을 찾아 기호를 쓰세요.

(1)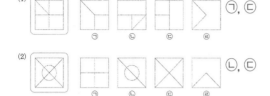

ㄱ, ㄷ

(2)

ㄴ, ㄷ

어떻게 겹치면 서로 다른 모양이 나올까요?

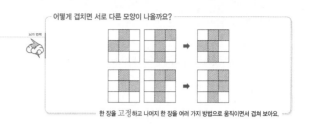

한 장을 고정하고 나머지 한 장을 여러 가지 방법으로 움직이면서 겹쳐 보아요.

최상위 사고력 크기가 같은 투명 종이 2장을 완전히 겹치려고 합니다. 색칠된 칸이 가장 많이 겹치도록 놓을 때 색칠되지 않은 칸은 모두 몇 칸인지 구하세요. (단, 투명 종이는 뒤집지 않습니다.)

8칸

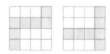

2 크기가 같은 투명 종이 2장을 완전히 겹치려고 합니다. 투명 종이를 돌려서 ●을 맞추었을 때 색칠되지 않은 칸은 모두 몇 칸인지 구하세요. 6칸

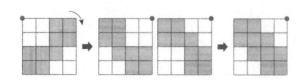

저자 톡! 많은 학생들이 투명 종이를 밀거나 돌려서 겹쳐 만든 모양을 찾는 것을 어렵게 느낍니다. 직접 투명 종이를 겹쳐 모양을 만들고 확인한 경험을 바탕으로 머릿속으로 투명 종이를 겹쳐서 문제를 해결할 수 있도록 합니다.

1

(1)
ㄱ   ㄷ   ➡

(2)
ㄴ   ㄷ   ➡

2

왼쪽 투명 종이를 시계 방향으로 반의 반 바퀴만큼 돌리고 오른쪽 투명 종이와 겹치면 다음과 같습니다.

따라서 색칠되지 않은 칸은 모두 **6칸**입니다.

최상위 사고력

왼쪽 투명 종이를 시계 방향으로 반 바퀴만큼 돌리고 오른쪽 투명 종이와 겹치면 색칠된 칸이 가장 많이 겹칩니다.

따라서 색칠되지 않은 칸은 모두 **8칸**입니다.

3-3. 부분과 전체

1 왼쪽 모양을 이용하여 규칙적인 무늬를 만들었습니다. 빈칸을 채워 무늬를 완성하세요.

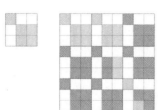

2 왼쪽 모양에서 찾을 수 없는 조각을 모두 찾아 ×표 하세요.

나올 수 없는 조각을 찾는 방법은 무엇일까요?

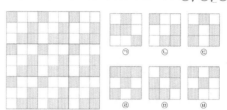

각각의 조각들을 주어진 모양에 그려 찾아요.

최상위 사고력 왼쪽 모양에서 찾을 수 있는 조각을 모두 찾아 기호를 쓰세요. ㉠, ㉡, ㉢

저자 톡! 주어진 모양을 이용하여 규칙적인 무늬를 만들거나 주어진 무늬를 구성하는 여러 가지 모양을 찾는 과정을 통하여 공간 감각을 기를 수 있습니다.

1

주어진 모양과 같은 크기로 오른쪽 모양을 나누어 주어진 모양과 같이 색칠합니다.

주의
무늬를 완성한 다음 색칠한 칸이 왼쪽 모양과 같은 모양을 이루고 있는지 확인합니다.

2

각각의 조각들을 주어진 모양에 그려 찾아보면 다음과 같습니다.

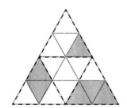

최상위 사고력

각각의 조각들을 주어진 모양에 그려 찾아보면 다음과 같습니다.

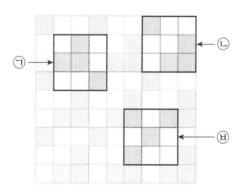

최상위 사고력

1 색종이를 3번 접어 펼친 다음 접힌 선을 따라 자르면 모두 몇 조각이 되는지 구하세요.

8조각

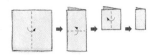

3 크기가 같은 투명 종이 2장을 밀거나 돌려서 완전히 겹치려고 합니다. 겹쳐진 색칠된 칸이 가장 적은 경우와 가장 많은 경우의 모양을 각각 그리세요.

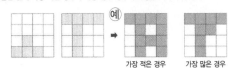

가장 적은 경우   가장 많은 경우

2 크기가 같은 투명 종이 2장을 완전히 겹칠 때 ◯, △, ■는 각각 몇 개씩 보이는지 차례로 구하세요.

7개, 4개, 5개

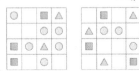

4 왼쪽 모양에서 찾을 수 없는 조각을 찾아 기호를 쓰세요. ㉢

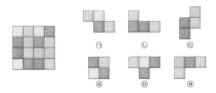

1

색종이를 펼친 모양은 다음과 같습니다.

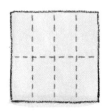

따라서 접힌 선을 따라 자르면 모두 **8**조각이 됩니다.

2

투명 종이를 완전히 겹치면 다음과 같습니다.

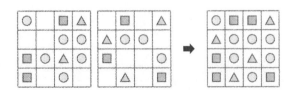

따라서 ◯=**7**개, △=**4**개, ■=**5**개씩 보입니다.

주의
투명 종이를 완전히 겹쳤을 때 같은 모양은 1개로 보이므로 중복하여 세지 않도록 합니다.

3

• 가장 적은 경우
왼쪽 투명 종이를 시계 반대 방향으로 반의 반 바퀴만큼 돌리고 오른쪽 투명 종이와 겹쳤을 때 겹쳐진 색칠된 칸은 **0**칸입니다.

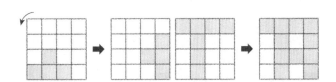

• 가장 많은 경우
왼쪽 투명 종이를 시계 반대 방향으로 반 바퀴만큼 돌리고 오른쪽 투명 종이와 겹쳤을 때 겹쳐진 색칠된 칸은 **3**칸입니다.

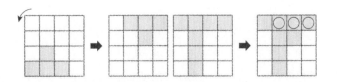

최상위 사고력 **4** 평면 퍼즐

4-1. 패턴블록

1 다음과 같은 6종류의 모양을 패턴블록이라고 합니다. 물음에 답하세요.

(1) |보기|와 같이 주어진 모양을 패턴블록을 이용하여 여러 가지 방법으로 만들었습니다. 만드는 방법을 선을 그어 나타내세요.

|보기|

예

💡 같은 종류의 패턴블록을 여러 번 이용해도 돼요.

(2) 패턴블록을 가장 적게 이용하여 ㉠, ㉡, ㉢ 모양을 만들었습니다. 이용한 패턴블록의 수가 다른 모양의 기호를 찾아 쓰세요. ㉢

㉠   ㉡   ㉢

패턴블록의 수를 다르게 하여 만들 수 있을까요?

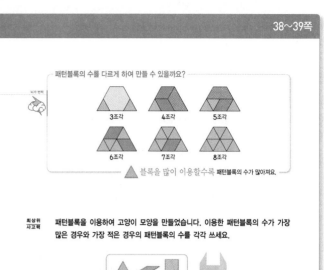

3조각   4조각   5조각
6조각   7조각   8조각

🔺 블록을 많이 이용할수록 패턴블록의 수가 많아져요.

최상위 사고력 패턴블록을 이용하여 고양이 모양을 만들었습니다. 이용한 패턴블록의 수가 가장 많은 경우와 가장 적은 경우의 패턴블록의 수를 각각 쓰세요.

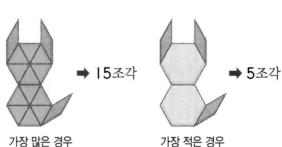

가장 많은 경우: 15 조각

가장 적은 경우: 5 조각

저자 톡! 패턴블록은 삼각형 1종류, 사각형 4종류, 육각형 1종류로 이루어진 블록입니다. 패턴블록을 이용하여 여러 가지 모양을 만들어 보면서 도형의 특성과 성질을 학습하게 됩니다.

1

(1) 🔺 블록을 기준으로 여러 가지 방법으로 주어진 모양을 만들 수 있습니다.

(2) ㉠과 ㉡은 **3**조각, ㉢은 **4**조각을 이용하여 모양을 만들었으므로 이용한 패턴블록의 수가 다른 모양은 ㉢입니다.

㉠   ㉡   ㉢

🔺 블록을 많이 이용할수록 패턴블록의 수가 많아집니다.

➡ 15조각   ➡ 5조각

가장 많은 경우   가장 적은 경우

4-2. 칠교놀이

1 주어진 칠교판의 4조각을 이용하여 오른쪽 모양을 만들었습니다. 만드는 방법을 선을 그어 나타내세요.

예

> 뇌가 번쩍
>
> 칠교판 조각으로 모양을 만드는 방법은 무엇일까요?
>
>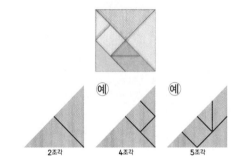
>
> ➡
>
> 길이가 같은 부분끼리 맞닿게 붙여서 모양을 만들어요.

2 칠교판의 7조각 중 몇 조각을 이용하여 오른쪽 모양을 만들었습니다. 만드는 방법을 선을 그어 나타내세요.

예

최상위 사고력 주어진 수의 칠교판 조각을 이용하여 세모 모양을 여러 가지 방법으로 만들었습니다. 만드는 방법을 선을 그어 나타내세요.

예   예

2조각   4조각   5조각

> **저자 톡!** 칠교판 조각에는 삼각형 5개와 사각형 2개가 있습니다. 칠교판을 이용하여 여러 재미있는 모양을 만들어 보면서 평면도형의 특징을 발견할 수 있습니다.

1

가장 큰 조각이 놓일 자리부터 생각합니다.

> **주의**
> 칠교판 조각으로 여러 가지 모양을 만들 때는 조각이 서로 떨어지지 않고 길이가 같은 부분끼리 맞닿게 붙여야 합니다.

2

5조각을 이용하여 만든 모양입니다.

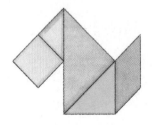

최상위 사고력

작은 조각을 많이 이용할수록 이용하는 조각의 수가 많아집니다.

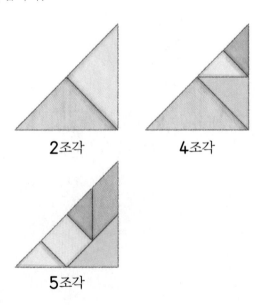

2조각   4조각

5조각

4-3. 테트로미노 — 크기가 같은 4개의 네모 모양을 붙여 만든 모양

1 테트로미노 조각 중 한 가지 조각을 여러 번 이용하여 주어진 네모 모양을 가득 채웠습니다. 이용한 조각의 기호를 보고 만드는 방법을 선을 그어 나타내세요.

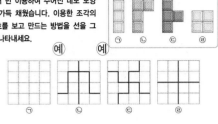

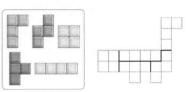

테트로미노 조각으로 모양을 완성하는 방법은 무엇일까요?

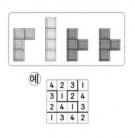

가장 복잡한 조각을 놓을 위치를 먼저 정해요.

2 주어진 테트로미노 조각을 한 번씩 모두 이용하여 공룡 모양을 만들었습니다. 만드는 방법을 선을 그어 나타내세요.

최상위 사고력 테트로미노 조각 안에 1, 2, 3, 4가 한 번씩 모두 들어갈 수 있도록 놓으려고 합니다. 주어진 테트로미노 조각을 놓는 방법을 선을 그어 나타내세요.

예

4	2	3	1
3	1	2	4
2	4	1	3
1	3	4	2

저자 톡! 정사각형 4개를 이용하여 만든 모양을 테트로미노라고 합니다. 테트로미노 조각을 이용하여 퍼즐을 완성하면서 공간에 대한 분석 능력을 기를 수 있습니다.

1

주어진 조각을 돌리거나 뒤집으면서 주어진 네모 모양을 가득 채웁니다.

2

복잡한 조각부터 놓을 위치를 생각합니다.

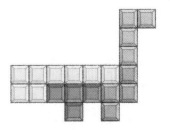

다양한 방법으로 주어진 테트로미노 조각을 놓을 수 있습니다.

4	2	3	1
3	1	2	4
2	4	1	3
1	3	4	2

최상위 사고력

1 주어진 모양을 패턴블록을 이용하여 만들었습니다. 이용한 패턴블록의 수가 가장 적은 경우의 패턴블록의 수는 몇 조각인지 쓰세요.

4조각

3 주어진 테트로미노 조각을 한 번씩 모두 이용하여 오른쪽 모양을 만들었습니다. 만드는 방법을 선을 그어 나타내세요.

예

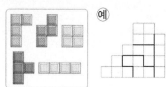

2 칠교판의 7조각 중 6조각을 이용하여 오른쪽 모양을 만들었습니다. 이용하지 않은 조각의 번호를 찾아 쓰세요. (단, 크기가 같은 조각은 두 조각 중 하나의 번호를 씁니다.)

③ 또는 ⑤

4 테트로미노 조각 안에 1, 2, 3, 4가 한 번씩 모두 들어갈 수 있도록 놓으려고 합니다. 주어진 테트로미노 조각을 놓는 방법을 선을 그어 나타내세요.

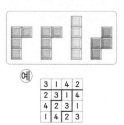

예

3	1	4	2
2	3	1	4
4	2	3	1
1	4	2	3

1

가장 큰 패턴블록부터 이용합니다.

따라서 이용한 패턴블록의 수가 가장 적은 경우의 패턴블록의 수는 **4조각**입니다.

2

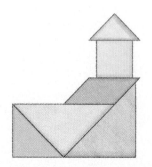

따라서 ③ 또는 ⑤ 조각을 이용하지 않았습니다.

3

복잡한 조각부터 놓을 위치를 생각합니다.

4

다양한 방법으로 주어진 테트로미노 조각을 놓을 수 있습니다.

3	1	4	2
2	3	1	4
4	2	3	1
1	4	3	2

Review Ⅱ 도형

1 동그라미 모양의 종이를 2번 접어 색칠한 부분을 자른 다음 펼쳤습니다. 마지막 종이에 펼쳤을 때 모양을 그리세요.

2 구멍이 뚫린 카드 2장과 그림 카드 한 장이 있습니다. 구멍이 뚫린 카드 2장을 완전히 겹쳐서 그림 카드 위에 올려 놓았을 때 보이는 과일에 모두 ○표 하세요.

3 오른쪽 모양을 선을 따라 잘라 6조각으로 나누었습니다. □ 안에 알맞은 조각의 기호를 써넣으세요.

4 패턴블록을 가장 적게 이용하여 오른쪽 모양을 만들 때 이용하지 않는 패턴블록에 모두 ×표 하세요.

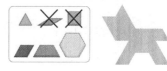

1

접은 부분을 거꾸로 펼쳐 보며 생각해 봅니다.

2

구멍이 뚫린 카드 2장을 완전히 겹쳐서 그림 카드 위에 올려 놓으면 다음과 같습니다.

3

나누어진 조각들을 여러 방향으로 돌려가며 모양을 비교합니다.

4

따라서 이용하지 않는 패턴블록은 , ⬜ 입니다.

5 칠교판의 7조각을 모두 이용하여 오른쪽 모양을 만들었습니다. 만드는 방법을 선
   을 그어 나타내세요.

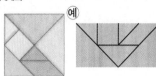

6 테트로미노 조각을 한 번씩 모두 이용하여 오른쪽 모양을 완성하려고 합니다. 만
   드는 방법을 선을 그어 나타내세요.

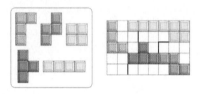

5

가장 큰 조각이 놓일 자리부터 생각합니다.

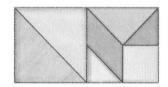

6

복잡한 조각부터 놓을 위치를 생각합니다.

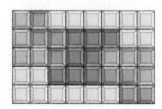

최상위 사고력 5 약속하기

5-1. 도형 약속

1 규칙을 찾아 □ 안에 알맞은 수를 써넣으세요.

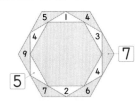

도형이 나타내는 규칙을 어떻게 찾을까요?

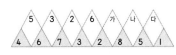

두 도형이 겹쳐진 부분의 수는 양쪽 두 수의 합입니다.

위치에 따라 수 사이의 관계를 살펴요.

최상위 사고력 규칙을 찾아 가, 나, 다에 알맞은 수를 차례로 구하세요.

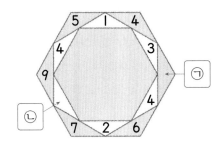

7, 1, 4

2 규칙을 찾아 빈 곳에 알맞은 수를 써넣으세요.

TIP 지붕에 적힌 수들의 규칙을 찾아보세요.

저자 톡! 이 단원에서는 도형의 위치에 따라 규칙을 찾을 수 있는 여러 가지 유형을 다뤄 봅니다. 도형에 적힌 수 사이의 관계를 예상하고, 찾아내는 과정을 통해 문제해결력을 길러 봅니다.

1

초록색 빈 곳에는 흰 곳에 적힌 이웃한 두 수의 합을 써넣는 규칙입니다.

- $\bigcirc=3+4=7$
- $\bigcirc+4=9$, $\bigcirc=9-4$, $\bigcirc=5$

2

지붕 아래의 수 중 가장 큰 수와 가장 작은 수의 차를 지붕에 써넣는 규칙입니다.

4번째에서 지붕 아래의 수 중 가장 큰 수는 9, 가장 작은 수는 1이므로 지붕에 알맞은 수는 $9-1=8$입니다.

최상위 사고력

$\bigcirc+\bigcirc=9$인 규칙입니다.

- $2+$가$=9$, 가$=9-2$, 가$=7$
- $8+$나$=9$, 나$=9-8$, 나$=1$
- $5+$다$=9$, 다$=9-5$, 다$=4$

해결 전략
삼각형의 각 꼭짓점에 위치한 수의 규칙을 각각 찾아봅니다.

5-2. 기호 약속

1 모자의 규칙을 찾아 □ 안에 알맞은 구슬의 개수를 써넣으세요.

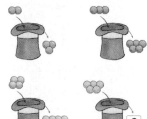

9

기호가 나타내는 규칙을 어떻게 찾을까요?

$2 ♥ 1 = 3 \quad 3 ♥ 2 = 5 \quad 4 ♥ 3 = 7$
$2+1=3 \qquad 3+2=5 \qquad 4+3=7$

➡ ♥는 +를 나타냅니다.

덧셈, 뺄셈을 이용하여 규칙을 찾아요.

최상위 사고력 기호 ♣의 규칙을 찾아 □ 안에 알맞은 수를 써넣으세요.

$3♣2=6 \quad 2♣4=8 \quad 1♣4=4$
$2♣2=4 \quad 4♣1=4 \quad 3♣3=9$

(1) $2♣3=$ 6

(2) $6♣1=$ 6

(3) $8♣2=$ 16

2 기호 ◎와 ★의 규칙을 찾아 □ 안에 알맞은 수를 써넣으세요.

(1) $1◎=2 \quad 3◎=6 \quad 4◎=8 \quad 5◎=$ 10

(2) $1★=$ 3 $\quad 2★=5 \quad 3★=7 \quad 4★=9$

저자 톡! 기호 약속은 수학 기호 +, − 대신 다른 기호를 사용하여 식을 나타낸 것입니다. 기호는 단순한 두 수의 합과 차 외에도 여러 개의 수의 합과 차를 나타냅니다. 따라서 기호가 나타내는 규칙을 찾는 문제를 통해 연산력을 향상시킬 수 있습니다.

1

모자는 (구슬 수)+(구슬 수−1)만큼 나오는 규칙입니다.

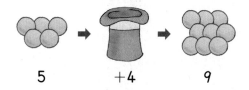

5   +4   9

해결 전략
나온 구슬의 수가 넣은 구슬의 수보다 얼마만큼 많아지는지 규칙을 찾아봅니다.

2

(1) ◎은 수를 2번 더하는 규칙입니다.
 $5◎=5+5=10$

(2) ★은 주어진 수에 주어진 수보다 1 큰 수를 더하는 규칙입니다.
 $1★=1+2=3$

최상위 사고력

㉠♣㉡은 ㉠을 ㉡번만큼 더하는 규칙입니다.

(1) 2를 3번 더합니다.
 $2♣3=2+2+2=6$

(2) 6을 1번 더합니다.
 $6♣1=6$

(3) 8을 2번 더합니다.
 $8♣2=8+8=16$

5-3. 암호

1 1부터 4까지 수를 배열한 암호 열쇠입니다. 알맞게 해독한 사람의 이름을 쓰세요.

1	2	3
2	1	4
1	2	3

연우

1	3	2
2	1	2
3	3	1

혜영

1	2	1
4	1	3
2	3	2

지웅

1	2	1
3	1	2
2	4	2

정아

지웅

 2 왼쪽과 같은 방법으로 미로를 통과하세요.

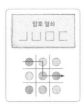

암호는 어떻게 풀어야 할까요?

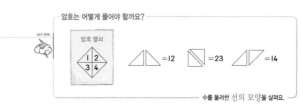

수를 둘러싼 선의 모양을 살펴요.

암호 열쇠를 보고 □ 안에 알맞은 수를 써넣으세요.

ㄱㄴ ㄴㅁ ㅿㄴ = 5

저자 톡! 이 단원은 암호가 나타내는 것을 예상하고 추리하여 암호를 푸는 단원입니다. 암호를 풀기 위해서는 먼저 어떤 규칙의 암호가 있는지 찾는 것이 중요합니다. 모양과 수의 관계를 생각하며 암호를 푸는 연습을 해 봅니다.

1

암호 열쇠에서 같은 모양은 같은 수를 나타내야 합니다. 따라서 ㄴ=1, ㄱ=2, ㄹ=4, ㅁ=3으로 알맞게 해독한 사람은 지웅이입니다.

2

암호 열쇠는 미로의 지나가야 하는 칸의 모양을 나타냅니다.

ㄱ : 두 번째 줄의 첫 번째 칸

ㄴ : 세 번째 줄의 첫 번째 칸

ㅁ : 세 번째 줄의 두 번째 칸

ㅁ : 두 번째 줄의 두 번째 칸

ㄴ : 첫 번째 줄의 두 번째 칸

수와 기호 +, −를 둘러싼 선의 모양을 보고 암호를 풀어 봅니다.

 : 4   ◣ : −   ㄴ : 1

 : +   ㄴ : 2

➡ ㄱㄴ ◸ ㄴㅁ ◿ㄴ = 4 − 1 + 2 = 5

보충 개념
+와 −가 섞여 있는 식은 앞에서부터 차례로 계산합니다.

(예)

최상위 사고력

1 규칙을 찾아 빈칸에 알맞은 수를 써넣으세요.

3	0		6	1		5	3		9	2		8	2		9	2
1	2		2	3		1	1		2	5		4	2		3	4

2 기호 ◈의 규칙을 찾아 □ 안에 알맞은 수를 써넣으세요.

$$4 ◈ 1 = 7 \quad 5 ◈ 3 = 7 \quad 2 ◈ 2 = 2$$
$$3 ◈ 2 = 4 \quad 3 ◈ 4 = 2 \quad 5 ◈ 1 = 9$$

(1) $4 ◈ 5 = \boxed{3}$ (2) $2 ◈ 3 = \boxed{1}$ (3) $5 ◈ 5 = \boxed{5}$

3  과 의 규칙을 각각 찾아 □ 안에 알맞은 수를 써넣으세요.

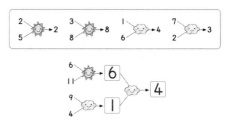

4 1부터 5까지의 수와 +, -가 적혀 있는 암호 열쇠를 보고 암호를 푼 것입니다.
□ 안에 1부터 5까지의 수를 써넣어 암호 열쇠를 완성하세요.

암호 열쇠

$\boxed{3}$	+	$\boxed{5}$
-	$\boxed{4}$	-
$\boxed{2}$	+	$\boxed{1}$

⌐⌐⌐ = 8
⌐⌐⌐ = 2
□□⌐ = 2

1

 색칠된 칸에 알맞은 수는 ㉠+㉡+㉢입니다.

	2
4	2

  색칠된 칸: $2+2+4=8$

9	2
3	㉡

  $2+㉡+3=9$, $5+㉡=9$, $㉡=4$

2

㉠◈㉡은 ㉠+㉠−㉡입니다.
(1) $4◈5=4+4-5=8-5=3$
(2) $2◈3=2+2-3=4-3=1$
(3) $5◈5=5+5-5=10-5=5$

3

는 두 수 중 짝수가 나오는 규칙이고, 은 두
수의 차에서 두 수 중 작은 수를 빼는 규칙입니다.

6
11 → 짝수: 6

9
4 → $9-4-4=1$

6
1 → $6-1-1=4$

4

- ⌐⌐⌐ = 8 ➡ ⌐ + ⌐ = 8
  두 수의 합이 8인 경우는 $3+5=8$ 뿐이므로
  ⌐ = 3, ⌐ = 5 또는 ⌐ = 5, ⌐ = 3입니다.

- ⌐⌐⌐ = 2 ➡ ⌐ − ⌐ = 2
  두 수의 차가 2인 경우는 $5-3=2$, $4-2=2$,
  $3-1=2$입니다. 이 중 ⌐이 될 수 있는 수는 3뿐
  이므로 ⌐ = 3, ⌐ = 1입니다.

- □□□ = 2 ➡ □ − □ = 2
  $4-2=2$이므로 □ = 4, □ = 2입니다.

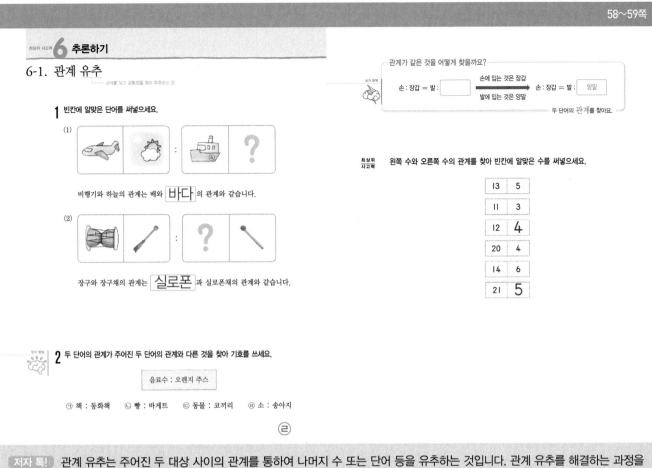

2

오렌지 주스는 음료수 종류 중 하나입니다.

따라서 왼쪽 단어에 오른쪽 단어가 포함되는 관계입니다.

㉠ 동화책은 책 종류 중 하나입니다.

㉡ 바게트는 빵 종류 중 하나입니다.

㉢ 코끼리는 동물 종류 중 하나입니다.

㉣ 송아지는 어린 소를 나타내는 말로 소와 송아지는
   포함 관계가 아닙니다.

따라서 주어진 두 단어의 관계와 다른 것은

㉣ 소 : 송아지입니다.

지도 가이드
추론은 주어진 자료를 이해한 다음 근거가 되는 판단을 하는 과정을 거쳐야 합니다. 주어진 정보 외에 상식을 전제로 생각해야 하므로 아이들이 충분히 생각을 하고 문제를 해결할 수 있도록 지도해 주세요.

최상위
사고력

왼쪽 수와 오른쪽 수의 관계는 다음과 같습니다.

㉠㉡	㉠+㉠+㉡

- 왼쪽 수가 12이면 ㉠=1, ㉡=2이므로
  오른쪽 수는 ㉠+㉠+㉡=1+1+2=4입니다.
- 왼쪽 수가 21이면 ㉠=2, ㉡=1이므로
  오른쪽 수는 ㉠+㉠+㉡=2+2+1=5입니다.

해결 전략
두 자리 수의 십의 자리 숫자와 일의 자리 숫자를 빼거나 더해서 한 자리 수를 만드는 방법을 생각해 봅니다.

6-2. 도형 유추

1 모양의 관계가 같은 것을 찾아 □ 안에 알맞은 기호를 써넣으세요.

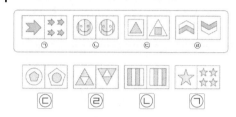

TIP 개수, 색칠된 부분, 위치, 방향 등의 변화를 살펴보세요.

두 도형의 관계는 어떻게 찾을까요?

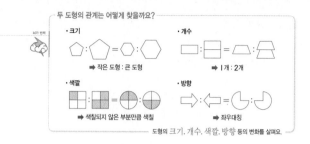

• 크기
➡ 작은 도형 : 큰 도형

• 개수
➡ 1개 : 2개

• 색깔
➡ 색칠되지 않은 부분만큼 색칠

• 방향
➡ 좌우대칭

도형의 크기, 개수, 색깔, 방향 등의 변화를 살펴요.

최상위 사고력 모양의 관계를 보고 빈칸에 알맞은 모양을 그리세요.

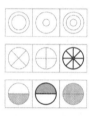

2 모양의 관계를 보고 빈칸에 알맞은 모양을 그리세요.

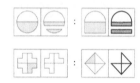

저자 톡! 도형 유추는 색깔, 크기, 개수, 방향 등 도형 사이의 관계에 따라 나머지 도형을 유추하는 것입니다. 도형을 관찰하며 공간감각을 익히고, 나머지 도형을 근거와 판단을 토대로 유추하며 추리력과 논리력을 길러 봅니다.

1

㉠ 모양의 크기가 작아지고, 개수가 많아졌습니다.

㉡ 색칠된 곳과 색칠되지 않은 곳의 위치가 바뀌었습니다.

㉢ 안쪽 모양과 바깥쪽 모양의 위치가 바뀌었습니다.

㉣ 모양을 위 또는 아래로 뒤집은 모양으로 바뀌었습니다.

해결 전략
두 모양의 크기, 개수, 색깔, 위치, 방향 등을 비교해 봅니다.

2

• 모양의 색칠된 부분이 두 부분으로 나누어졌고, 일부분은 지워졌습니다.

• 모양의 색칠된 부분만큼 지워졌습니다.

첫 번째 모양과 두 번째 모양을 합친 모양이 세 번째 모양입니다.

해결 전략
모양이 변하는 특징을 가로 방향으로 살펴봅니다.

6-3. 매트릭스 유추

1 규칙을 찾아 빈칸에 알맞은 모양을 그리세요.

매트릭스에서 관계는 어떻게 찾을까요?

모양 마디: ●—▲—▦

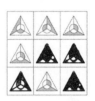

개수 마디: 1개 – 2개 – 3개

가로줄과 세로줄의 규칙을 각각 찾아요.

2 규칙을 보고 빈칸에 알맞은 모양을 그리세요.

> **규칙**
> ① 가로줄에서는 오른쪽으로 갈수록 세로로 한 줄씩 늘어납니다.
> ② 세로줄에서는 아래로 갈수록 가로로 한 줄씩 늘어납니다.

최상위 사고력 규칙을 찾아 빈칸에 알맞은 모양을 그리세요.

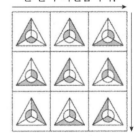

TIP 색칠된 부분의 변화를 살펴보세요.

> **저자 톡!** 매트릭스 유추는 가로줄과 세로줄의 도형 사이의 관계를 이용하여 빈 곳에 알맞은 도형을 찾는 것입니다. 두 가지 관계를 모두 찾아야 하므로 아이들이 어려워할 수 있습니다. 각 줄에 놓인 도형의 특징을 충분히 관찰하도록 지도합니다.

1

안쪽 모양 마디: ◯—△

바깥쪽 모양 마디: ▢—◯

> **해결 전략**
> 가로줄과 세로줄의 모양의 관계를 각각 찾아봅니다.

최상위 사고력

색칠되는 부분이 시계 방향으로 한 칸씩 회전합니다.

색칠되는 부분이 시계 반대 방향으로 한 칸씩 회전합니다.

2

먼저 가로줄 규칙을 만족하도록 빈칸에 알맞은 모양을 그립니다. 그 다음 세로줄 규칙을 만족하는지 확인해 봅니다.

최상위 사고력

1 왼쪽과 같은 방법으로 빈칸에 알맞은 단어 3개를 쓰세요.

2 상자의 규칙을 찾아 모양을 알맞게 색칠하세요.

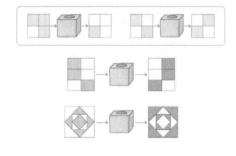

3 모양의 관계를 보고 빈칸에 알맞은 모양을 그리세요.

4 규칙을 찾아 마지막 모양을 완성하세요.

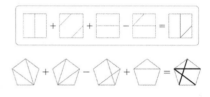

1

주어진 단어의 글자를 사용하여 새로운 단어를 만들었습니다.
주사위로 만들 수 있는 단어는 위, 주사, 주위, 사위, 위주 등이 있습니다.

주의
아무 단어나 만드는 것이 아니라 사전에 기재되어 있는 단어를 찾아야 합니다.

2

상자의 규칙은 색칠된 곳과 색칠되지 않은 곳의 위치가 바뀌는 것입니다.

3

첫 번째, 두 번째, 세 번째 모양을 합친 모양이 네 번째 모양입니다.

- ∠ + ⏋ + ◎ = ◎
- ⊢ + ⊥ + ♥ = ✚

4

＋로 연결되면 두 모양의 안쪽 선을 합쳐서 나타내고, －로 연결되면 빼는 모양의 안쪽 선을 지웁니다.

① + =
② − =
③ + =

따라서 마지막 모양은 입니다.

Review III 규칙

1 도형의 규칙을 찾아 ◯ 안에 알맞은 수를 써넣으세요.

2 기호 ♣와 ♠의 규칙을 찾아 ☐ 안에 알맞은 수를 써넣으세요.

(1) 7♣=5   8♣=6   5♣=3   9♣=7

(2) 2♠=3   1♠=1   5♠=9   4♠=7

3 알파벳과 수 사이의 관계를 찾아 빈칸에 알맞은 수를 써넣으세요.

알파벳	A	E	F	K	L	M	T
수	3	4	3	3	2	4	2

4 단어의 관계를 보고 같은 것끼리 선으로 이으세요.

1

시계 방향으로 2씩, 3씩, 4씩 뛰어 센 수를 써넣은 규칙입니다.

- 12에서 3 뛰어 센 수는 12−13−14−15로 15입니다.
- 12에서 4 뛰어 센 수는 12−13−14−15−16으로 16이고, 16에서 4 뛰어 센 수는 16−17−18−19−20으로 20입니다.

해결 전략
수가 변하는 규칙을 살펴봅니다.

2

(1) ㉠♣의 규칙은 ㉠에서 2만큼을 빼는 것입니다.
➡ 9♣=9−2=7
(2) ㉠♠의 규칙은 ㉠+㉠−1입니다.
➡ 4♠=4+4−1=7

3

각 알파벳의 곧은 선의 수를 수로 나타낸 것입니다.

4

- 냉장고에는 음식을 넣고, 세탁기에는 빨래를 넣습니다.
- 사과는 과일 중 하나이고, 서울은 도시 중 하나입니다.
- 옷을 꿰맬 때는 바늘과 실이 모두 필요하고, 양치질을 할 때는 칫솔과 치약이 모두 필요합니다.

5 모양의 관계를 보고 빈칸에 알맞은 모양을 그리세요.

6 모양의 관계를 보고 빈칸에 알맞은 기호를 써넣으세요.

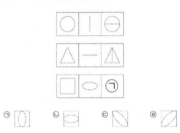

5

모양의 왼쪽과 오른쪽이 바뀌었습니다.

따라서 빈칸에 알맞은 그림은 ⇨의 왼쪽과 오른쪽이

바뀐 ⇦입니다.

해결 전략

먼저 ◺ 와 ◿ 의 관계를 살펴봅니다.

6

두 번째 모양을 만큼 돌린 다음 첫 번째 모양과 합친 모양이 세 번째 모양입니다.

□ + ○ = ⬭

최상위 사고력 7 가짓수

7-1. 선을 이어 구하는 가짓수

어떤 일이 일어날 수 있는 경우의 가짓수를 구하는 방법은?

모자와 안경을 선택하는 가짓수

네 나라가 서로 한 번씩 경기하는 가짓수

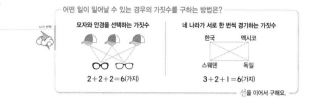

2+2+2=6(가지)

3+2+1=6(가지)

선을 이어서 구해요.

1 재호가 옷을 입는 방법은 모두 몇 가지인지 선을 이어 구하세요.

4가지

2 눈 모양과 입 모양을 1개씩 골라서 얼굴을 만들려고 합니다. 만들 수 있는 얼굴은 모두 몇 가지인지 구하세요.

8가지

최상위 사고력 친구 4명이 서로 한 번씩 악수를 하려고 합니다. 악수를 모두 몇 번 해야 하는지 구하세요.

6번

저자 톡! 선을 이어 방법의 가짓수를 구하는 문제는 두 가지 대상에서 각각 1개씩 선택하는 가짓수 구하기와 한 가지 대상에서 여러 개를 선택하는 가짓수 구하기로 나누어집니다. 두 가지 유형을 구분하는 것이 중요하므로 여러 가지 문제를 통해 연습해 봅니다.

1

반팔 티셔츠를 입을 때 바지를 고르는 방법은 2가지입니다.
긴팔 티셔츠를 입을 때 바지를 고르는 방법은 2가지입니다.
따라서 옷을 입는 방법은 모두 2+2=4(가지)입니다.

2

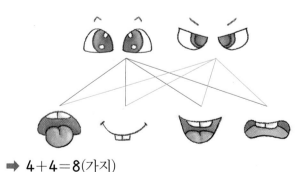

➡ 4+4=8(가지)

최상위 사고력

4명이 서로 한 번씩 악수하는 방법의 수는 4명을 서로 한 번씩 이은 선의 개수와 같습니다.

➡ 6번

해결 전략
두 명씩 선으로 이어 봅니다.

7-2. 두 가지를 고르는 가짓수

1 지우는 과녁에 화살 2발을 쏘았습니다. 과녁 밖으로 빗나간 화살이 없다고 할 때, 얻을 수 있는 점수를 과녁에 ×표 하여 모두 구하세요.

또는
1점,
5점

두 가지를 고르는 방법의 가짓수를 구하는 방법은?

같은 것을 고르는 경우와 다른 것을 고르는 경우로 나누어 구해요.

최상위 사고력 세 종류의 젤리가 있습니다. 젤리 3개를 고르는 방법은 모두 몇 가지인지 구하세요.
(단, 같은 종류의 젤리는 서로 구분되지 않습니다.)

6가지

2 네 종류의 인형이 있습니다. 서로 다른 종류의 인형 2개를 고르는 방법은 모두 몇 가지인지 구하세요. (단, 같은 종류의 인형은 서로 구분되지 않습니다.)

6가지

저자 톡! 이번 단원에서는 앞 단원과 달리 여러 가지 대상에서 두 가지를 고르는 가짓수를 구하는 문제 유형을 다룹니다. 앞에서는 선을 이어 가짓수를 구해 보았다면 이번에는 순서쌍, 나뭇가지 그림 등을 사용하여 더 간단하게 가짓수를 구해 봅니다.

1

같은 점수를 맞춘 경우와 서로 다른 점수를 맞춘 경우로 나누어 생각합니다.
- 같은 점수를 맞춘 경우: (1, 1), (3, 3), (5, 5)
 ➡ 2점, 6점, 10점
- 서로 다른 점수를 맞춘 경우: (1, 3), (1, 5), (3, 5)
 ➡ 4점, 6점, 8점

따라서 얻을 수 있는 점수는 2점, 4점, 6점, 8점, 10점입니다.

> **지도 가이드**
> 6점은 같은 점수를 맞추었을 때와 서로 다른 점수를 맞추었을 때 중복되므로 둘 중 하나만 나타내도 정답으로 인정합니다.

2

서로 다른 종류의 인형 2개를 고르는 방법은
(꿀벌, 토끼), (꿀벌, 곰), (꿀벌, 로봇), (토끼, 곰), (토끼, 로봇), (곰, 로봇)이므로 모두 6가지입니다.

최상위 사고력

- 같은 종류의 젤리로 고르는 방법
 : (코끼리, 코끼리, 코끼리) ➡ 1가지
- 두 종류의 젤리로 고르는 방법
 : (코끼리, 코끼리, 토끼), (코끼리, 코끼리, 말), (말, 말, 토끼), (말, 말, 코끼리) ➡ 4가지
- 세 종류의 젤리로 고르는 방법
 : (코끼리, 말, 토끼) ➡ 1가지

따라서 젤리 3개를 고르는 방법은 모두
1+4+1=6(가지)입니다.

> **해결 전략**
> 고르는 젤리 3개가 모두 같은 종류인 경우, 2개만 같은 종류인 경우, 모두 다른 종류인 경우로 나누어 생각해 봅니다.

7-3. 순서가 있는 가짓수

1 주머니 안에 있는 구슬 중 두 개를 꺼내 흰색 접시와 분홍색 접시 위에 1개씩 놓으려고 합니다. 구슬을 놓는 방법은 모두 몇 가지인지 구하세요.

6가지

2 서우, 민수, 은지가 나란히 서서 사진을 찍으려고 합니다. 나란히 서는 순서를 정하는 방법은 모두 몇 가지인지 구하세요.

서우 민수 은지

6가지

모든 경우를 중복되거나 빠짐없이 구하는 방법은?

➡ 만들 수 있는 세 자리 수는 2+2+2=6(가지)입니다.

나뭇가지 그림을 이용해서 구해요.

최상위 사고력 4명의 친구 중에서 회장 1명과 부회장 1명을 뽑으려고 합니다. 나올 수 있는 선거 결과는 모두 몇 가지인지 구하세요.

12가지

저자 톡! 앞에서는 순서를 생각하지 않고 젤리 2개를 뽑는 문제를 접했다면, 이번에는 회장과 부회장 뽑기처럼 순서를 생각해야 하는 문제를 접하게 됩니다. 이 차이를 구분하는 것은 매우 어려우므로 문제에서 순서가 의미하는 말을 찾을 수 있도록 연습해야 합니다.

1

흰색 접시 위에 놓은 구슬이 빨간색, 파란색, 노란색인 경우로 나누어 구해 봅니다.

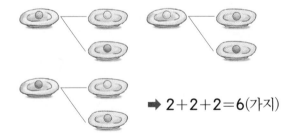

➡ 2+2+2=6(가지)

2

첫 번째로 선 친구가 서우, 민수, 은지인 경우로 나누어 구해 봅니다.

서우 — 민수 — 은지   민수 — 서우 — 은지
     — 은지 — 민수   — 은지 — 서우
은지 — 서우 — 민수
     — 민수 — 서우

➡ 2+2+2=6(가지)

최상위 사고력

회장으로 뽑히는 친구가 한정우, 박가연, 성소연, 이민우인 경우로 나누어 구해 봅니다.

회장	부회장	회장	부회장
한정우	박가연 성소연 이민우	박가연	한정우 성소연 이민우
성소연	한정우 박가연 이민우	이민우	한정우 박가연 성소연

➡ 3+3+3+3=12(가지)

최상위 사고력

1 청소 당번 2명을 뽑으려고 합니다. 1명은 가 모둠에서, 다른 1명은 나 모둠에서 뽑을 때 청소 당번을 뽑는 방법은 모두 몇 가지인지 구하세요.

가 모둠　　나 모둠

6가지

2 친구 5명이 서로 한 번씩 가위바위보를 하려고 합니다. 가위바위보를 모두 몇 번 해야 하는지 구하세요.

10번

3 전구 4개 중 1개 또는 2개를 켜려고 합니다. 전구를 켜는 방법은 모두 몇 가지인지 구하세요.

10가지

4 색연필 5자루 중 2자루를 사용하여 ♡모양을 색칠하려고 합니다. 색칠하는 방법은 모두 몇 가지인지 구하세요.

20가지

1

가 모둠 학생 1명이 나 모둠 학생 1명과 짝을 이루는 경우는 2가지입니다.

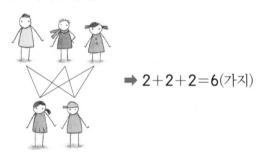

➡ 2+2+2=6(가지)

2

친구 5명이 서로 한 번씩 가위바위보 하는 방법의 수는 5명을 서로 한 번씩 이은 선의 개수와 같습니다.

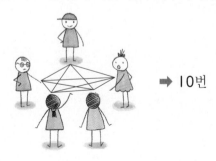

➡ 10번

3

• 전구 1개를 켜는 경우

: 4가지

• 전구 2개를 켜는 경우

: 6가지

➡ 4+6=10(가지)

4

왼쪽을 칠한 색연필이 노랑, 초록, 파랑, 빨강, 보라인 경우로 나누어 구해 봅니다.

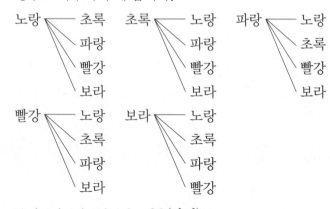

➡ 4+4+4+4+4=20(가지)

최상위 사고력 **8** 길의 가짓수

8-1. 길의 가짓수

1 생쥐가 치즈를 먹으러 가는 길을 모두 그리세요. (단, 지나간 지점은 다시 지나가지 않습니다.)

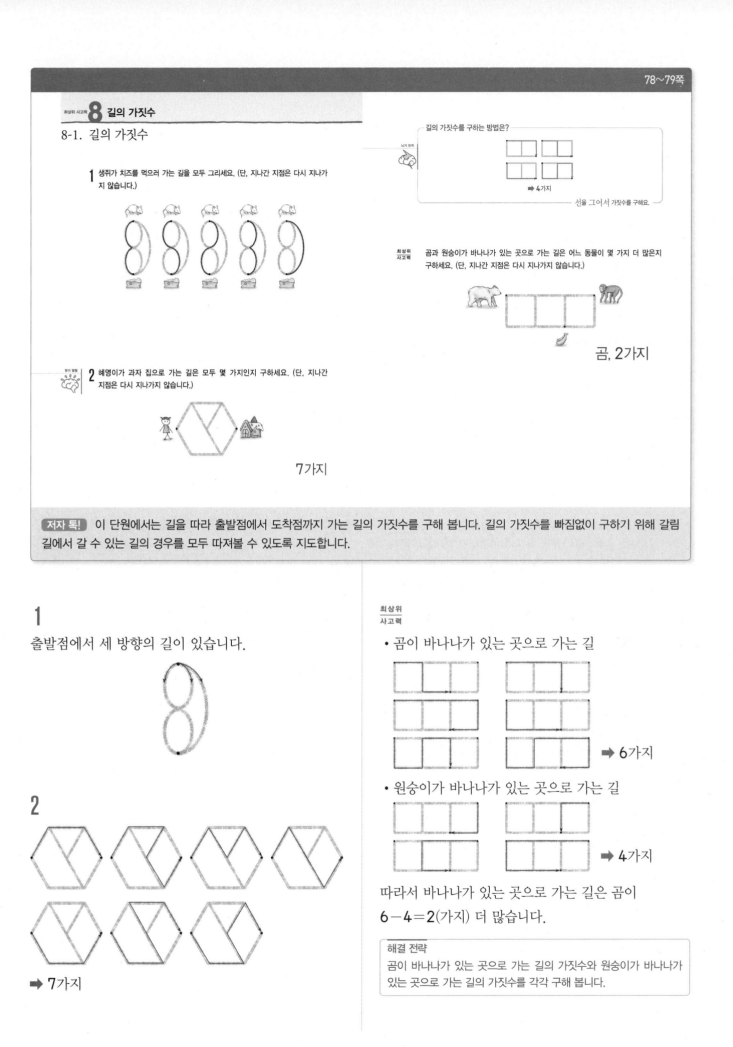

길의 가짓수를 구하는 방법은?

➡ 4가지

선을 그어서 가짓수를 구해요.

최상위
사고력 곰과 원숭이가 바나나가 있는 곳으로 가는 길은 어느 동물이 몇 가지 더 많은지 구하세요. (단, 지나간 지점은 다시 지나가지 않습니다.)

곰, 2가지

2 혜영이가 과자 집으로 가는 길은 모두 몇 가지인지 구하세요. (단, 지나간 지점은 다시 지나가지 않습니다.)

7가지

저자 톡! 이 단원에서는 길을 따라 출발점에서 도착점까지 가는 길의 가짓수를 구해 봅니다. 길의 가짓수를 빠짐없이 구하기 위해 갈림길에서 갈 수 있는 길의 경우를 모두 따져볼 수 있도록 지도합니다.

1

출발점에서 세 방향의 길이 있습니다.

2

➡ 7가지

최상위
사고력

• 곰이 바나나가 있는 곳으로 가는 길

➡ 6가지

• 원숭이가 바나나가 있는 곳으로 가는 길

➡ 4가지

따라서 바나나가 있는 곳으로 가는 길은 곰이
$6-4=2$(가지) 더 많습니다.

해결 전략
곰이 바나나가 있는 곳으로 가는 길의 가짓수와 원숭이가 바나나가 있는 곳으로 가는 길의 가짓수를 각각 구해 봅니다.

8-2. 가장 짧은 길의 가짓수

1 고양이가 생쥐를 잡으러 가는 가장 짧은 길을 모두 그리세요.

가장 짧은 길의 가짓수를 찾는 방법은?

마주 보는 길을 여러 곳 지나는 경우	마주 보는 길을 한 곳만 지나는 경우
➡ 5칸	➡ 3칸

마주 보는 길 중에서 한 곳만 지나는 길을 찾아요.

최상위 사고력 지웅이가 분식점으로 가는 가장 짧은 길은 모두 몇 가지인지 구하세요.

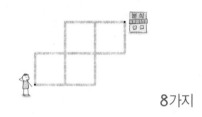

8가지

방어 방법 2 개미가 과자를 먹으러 가는 가장 짧은 길은 모두 몇 가지인지 구하세요.

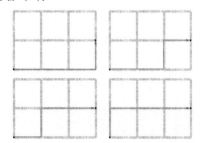

4가지

> **저자 톡!** 가장 짧은 길의 가짓수는 찾을 수 있는 길 중에서 거리가 가장 짧은 길이 몇 가지인지 구하는 것입니다. 지나는 길의 개수를 세어 가장 짧은 길의 가짓수를 구해 보며 문제해결력을 길러 봅니다.

1

고양이가 생쥐를 잡으러 가는 가장 짧은 길은 길 **6칸**을 지나는 길입니다.

2

개미가 과자를 먹으러 가는 가장 짧은 길은 길 **4칸**을 지나는 길입니다.

따라서 개미가 과자를 먹으러 가는 가장 짧은 길은 모두 **4가지**입니다.

> **해결 전략**
> 마주 보는 길을 두 번 이상 지나지 않는 길을 모두 찾습니다.

최상위 사고력

지웅이가 분식점으로 가는 가장 짧은 길은 길 **5칸**을 지나는 길입니다.

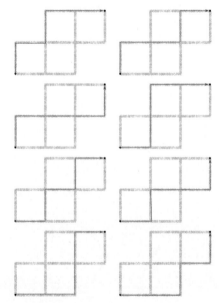

따라서 지웅이가 분식점으로 가는 가장 짧은 길은 모두 **8가지**입니다.

8-3. 조건이 있는 길의 가짓수

1 다람쥐가 문 2개를 통과하여 도토리를 먹으러 가는 길은 모두 몇 가지인지 구하세요.

8가지

2 수호가 자동차를 타고 집으로 가는 길은 모두 몇 가지인지 구하세요. (단, 자동차는 오른쪽 방향과 위쪽 방향으로만 갈 수 있습니다.)

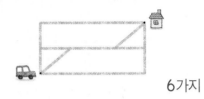

6가지

최상위 사고력 **A** 민호가 병원을 들러 집으로 가는 가장 짧은 길은 모두 몇 가지인지 구하세요.

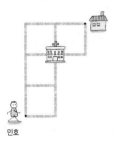

6가지

최상위 사고력 **B** 가연이가 공사장을 피해 유치원으로 가는 가장 짧은 길은 모두 몇 가지인지 구하세요.

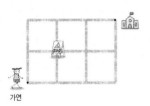

4가지

저자 톡! 이 단원에서는 앞 단원에서 다루지 않은 조건이 있는 길을 지나는 방법의 가짓수를 구해 봅니다. 어느 곳을 들려서 가는 길, 어느 곳을 피해서 가는 길 등 조건을 파악하고 문제를 해결해 보며 문제해결력을 길러 봅니다.

1

위쪽 문을 지나는 경우와 아래쪽 문을 지나는 경우로 나누어 생각합니다.

➡ 4+4=8(가지)

2

사선으로 된 길을 지나는 경우와 지나지 않는 경우로 나누어 생각합니다.

• 사선으로 된 길을 지나가는 경우

• 사선으로 된 길을 지나가지 않는 경우

➡ 3+3=6(가지)

최상위 사고력 **A**

민호가 병원을 들러 집으로 가는 가장 짧은 길은 길 5칸을 지나는 길입니다.

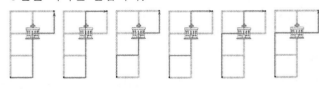

➡ 6가지

최상위 사고력 **B**

가연이가 공사장을 피해 유치원으로 가는 가장 짧은 길은 길 5칸을 지나는 길입니다.

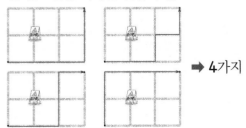

➡ 4가지

최상위 사고력

1 학교에서 문구점으로 가는 길은 모두 몇 가지인지 구하세요. (단, 지나간 지점은 다시 지나가지 않습니다.)

8가지

2 햄스터가 해바라기 씨를 먹으러 가는 길은 모두 몇 가지인지 구하세요. (단, 지나간 지점은 다시 지나가지 않습니다.)

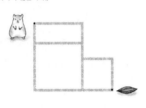

8가지

3 강아지가 집으로 가는 가장 짧은 길은 모두 몇 가지인지 구하세요.

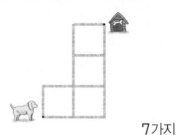

7가지

4 두더지가 길이 막힌 곳을 피해 집으로 가는 가장 짧은 길은 모두 몇 가지인지 구하세요.

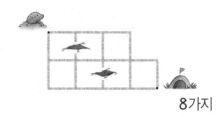

8가지

1

➡ 4+4=8(가지)

2

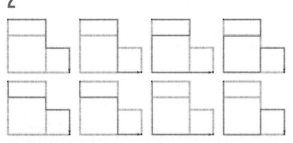

➡ 8가지

> **주의**
> 길의 가짓수를 구할 때는 가장 짧은 길의 가짓수를 구할 때와 달리 목적지까지 돌아서 가는 길도 생각해야 합니다.

3

강아지가 집으로 가는 가장 짧은 길은 길 5칸을 지나는 길입니다.

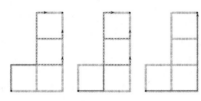

➡ 3+3+1=7(가지)

4

두더지가 막힌 곳을 피해 집까지 가는 가장 짧은 길은 길 6칸을 지나는 길입니다.

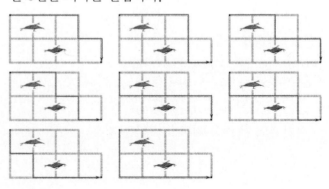

➡ 8가지

Review IV 확률과 통계

1 빵과 음료수를 1개씩 고르려고 합니다. 간식을 고를 수 있는 방법은 모두 몇 가지인지 구하세요.

9가지

2 상자에 세 종류의 구슬이 들어 있습니다. 구슬 2개를 꺼내는 방법은 모두 몇 가지인지 구하세요. (단, 같은 종류의 구슬은 서로 구분되지 않습니다.)

5가지

3 3명의 학생 중 2명을 뽑아 1명은 책상 정리, 다른 1명은 책장 정리를 하려고 합니다. 책상 정리와 책장 정리를 할 학생 2명을 뽑는 방법은 모두 몇 가지인지 구하세요.

6가지

4 꿀벌이 벌집으로 가는 길은 모두 몇 가지인지 구하세요. (단, 지나간 지점은 다시 지나가지 않습니다.)

4가지

1

➡ 3+3+3=9(가지)

해결 전략
빵 1개마다 음료수 3개를 선택할 수 있습니다.

2

• 같은 종류의 구슬을 고르는 방법
 : (파랑, 파랑), (빨강, 빨강) ➡ 2가지
• 두 종류의 구슬을 고르는 방법
 : (파랑, 노랑), (파랑, 빨강), (노랑, 빨강) ➡ 3가지
따라서 구슬 2개를 꺼내는 방법은 모두
2+3=5(가지)입니다.

3

책상 정리로 뽑히는 친구가 박호연, 김새봄, 이진우인 경우로 나누어 구해 봅니다.

책상 정리　　책장 정리　　　책상 정리　　책장 정리
박호연── 김새봄　　　　김새봄── 박호연
　　　　 이진우　　　　　　　　 이진우
이진우── 박호연
　　　　 김새봄

➡ 2+2+2=6(가지)

4

꿀벌이 벌집으로 가는 방법은 다음과 같습니다.

➡ 2+2=4(가지)

5 토끼가 당근을 먹으러 가는 가장 짧은 길은 모두 몇 가지인지 구하세요.

5가지

6 집에서 놀이터에 갔다가 다시 집으로 돌아오는 방법은 모두 몇 가지인지 구하세요.

9가지

5

토끼가 당근을 먹으러 가는 가장 짧은 길은 길 5칸을
지나는 길입니다.

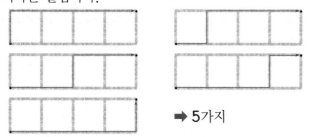

➡ 5가지

6

집에서 놀이터로 가는 방법은 3가지,
놀이터에서 집으로 오는 방법은 3가지입니다.

따라서 집에서 놀이터에 갔다가 다시 집으로 돌아오는
방법은 모두 3+3+3=9(가지)입니다.

해결 전략
집에서 놀이터로 가는 길과 놀이터에서 집으로 오는 길을 나누어 생
각합니다.

최상위 사고력 **9 문제 해결 방법 찾기**(1)

9-1. 표 만들어 해결하기

1 구슬 10개를 파란색 주머니와 노란색 주머니에 나누어 담으려고 합니다. 표를 완성하고 파란색 주머니에 구슬을 더 많이 담는 방법은 몇 가지인지 구하세요. (단, 주머니에 적어도 구슬 1개는 담아야 합니다.)

파란색 주머니 속의 구슬(개)	1	2	3	4	5	6	7	8	9
노란색 주머니 속의 구슬(개)	9	8	7	6	5	4	3	2	1

💡 '적어도'라는 말은 '가장 적은 개수'를 뜻해요.

4가지

2 과자를 은수는 9개, 지우는 15개 가지고 있습니다. 은수는 하루에 1개씩, 지우는 하루에 3개씩 과자를 먹는다고 할 때 남은 과자 수가 같아지는 날은 며칠째인지 구하세요.

3일째

표를 만들어 문제를 어떻게 해결할까요?

📝 연필 12자루를 미희와 인호가 나누어 가지려고 합니다. 미희가 인호보다 2자루 더 가지려면 미희와 인호는 각각 몇 자루씩 나누어 가져야 하는지 구하세요.

미희가 가진 연필 수(자루)	1	2	3	4	5	6	7
인호가 가진 연필 수(자루)	11	10	9	8	7	6	5

➡ 미희는 7자루, 인호는 5자루입니다.

먼저 표로 나타내어 모든 경우를 빠짐없이 찾아요.

최상위 사고력 연우의 나이는 7살, 동생 연수의 나이는 3살입니다. 두 사람의 나이의 합이 16이 되는 것은 몇 년 후인지 구하세요.

연우   연수

3년 후

저자 톡! 이 단원에서는 표를 이용하여 문제를 해결하는 방법을 익혀 봅니다. 표를 나타내는 방법, 표의 빈칸에 알맞은 수를 써넣는 방법을 알고, 완성한 표를 보고 문제를 해결하며 문제해결력과 논리력을 길러 봅니다.

1

파란색 주머니에 구슬을 더 많이 담는 방법은 다음과 같이 **4**가지입니다.

파란색 주머니 속의 구슬(개)	1	2	3	4	5	6	7	8	9
노란색 주머니 속의 구슬(개)	9	8	7	6	5	4	3	2	1

해결 전략
파란색 주머니와 노란색 주머니에 담긴 구슬의 합이 10이 되도록 표를 채웁니다.

2

은수의 쿠키 수는 1씩, 지우의 쿠키 수는 3씩 줄어듭니다. 따라서 다음과 같이 두 사람의 쿠키 수가 같아지는 때는 **3**일째입니다.

	처음	1일	2일	3일	4일
은수의 쿠키 수(개)	9	8	7	6	5
지우의 쿠키 수(개)	15	12	9	6	3

최상위 사고력

연우와 동생 연수의 나이를 표로 나타내어 봅니다.

	처음	1년 후	2년 후	3년 후
연우 나이(살)	7	8	9	10
연수 나이(살)	3	4	5	6
나이 합	10	12	14	16

따라서 두 사람의 나이의 합이 16이 되는 것은 **3**년 후입니다.

9-2. 그림 그려 해결하기

1 사탕 16개를 6봉지에 나누어 담았습니다. 한 봉지에 사탕을 2개 또는 3개씩 담았을 때 사탕을 알맞게 색칠하고, 2개씩 담은 봉지는 몇 봉지인지 구하세요.

2봉지

그림을 그려 문제를 어떻게 해결할까요?

보기 문제 **예** 다리가 2개인 의자와 다리가 3개인 의자가 모두 5개 있습니다. 다리 수가 모두 13개일 때 다리가 2개인 의자는 몇 개인지 구하세요.

다리 2개씩 그리기   적은 개수만큼 더 그리기

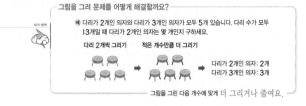

다리가 2개인 의자: 2
다리가 3개인 의자: 3

그림을 그린 다음 개수에 맞게 더 그리거나 줄여요.

2 구멍이 2개인 단추와 구멍이 4개인 단추가 모두 8개 있습니다. 구멍 수가 모두 20개일 때 구멍이 2개인 단추와 구멍이 4개인 단추는 각각 몇 개인지 그림을 그려 구하세요.

6개, 2개

최상위 사고력 두발자전거와 세발자전거가 모두 7대 있습니다. 바퀴 수가 모두 18개일 때 두발자전거와 세발자전거는 각각 몇 대인지 차례로 구하세요.

3대, 4대

저자 톡! 이 단원에서는 그림을 그려서 문제를 해결하는 방법을 익혀 봅니다. 문제의 조건에 알맞게 그림을 색칠하거나, ○, △ 등을 그려 문제를 해결하는 방법을 알고, 더 나아가 자신만의 문제 해결 방법을 터득하며 문제해결력을 길러 봅니다.

1

6봉지에 사탕을 2개씩 담는다면 사탕은 모두 2+2+2+2+2+2=12(개)입니다. 이때 사탕 4개가 남으므로 4봉지에 사탕 1개씩을 더 담아야 합니다. 따라서 사탕을 2개씩 담은 봉지는 2봉지입니다.

> **해결 전략**
> 먼저 각각의 봉지에 사탕을 2개씩 담아 봅니다.

2

단추 8개에 구멍을 2개씩 그리면 구멍은 모두 2+2+2+2+2+2+2+2=16(개)이므로 20개가 되도록 구멍 4개를 더 그려 넣습니다.
따라서 단추 구멍이 2개인 단추는 6개, 단추 구멍이 4개인 단추는 2개입니다.

> **해결 전략**
> 먼저 각각의 단추에 구멍을 2개씩 그려 봅니다.

최상위 사고력

먼저 두발자전거 7대의 바퀴를 ○로 나타내어 봅니다.

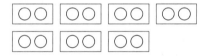

바퀴는 모두 2+2+2+2+2+2+2=14(개)이므로 18개가 되도록 ○ 4개를 더 그려 넣습니다.

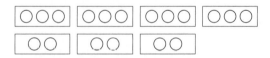

따라서 두발자전거는 3대, 세발자전거는 4대입니다.

9-3. 예상하고 확인하여 해결하기

1 뒤집어진 카드에 적힌 두 수의 합은 9, 차는 5입니다. □ 안에 알맞은 수를 써넣고, 서아와 민수 중 누구의 예상이 맞는지 쓰세요.

민수

어떻게 예상하고 확인해야 할까요?

6개의 문제를 풀어서 맞히면 3점, 틀리면 2점을 얻습니다. 얻은 점수가 16점일 때 맞힌 문제는 몇 개인지 구하세요.

예상 1 맞힌 문제 3개	예상 2 맞힌 문제 4개
3+3+3+2+2+2=15(점) (×)	3+3+3+3+2+2=16(점) (○)
16점보다 낮으므로 맞힌 문제 수를 늘립니다.	예상이 맞습니다.

➡ 맞힌 문제는 4개입니다.

중간부터 예상해 봐요.

최상위 사고력 붙임딱지 20개를 남학생은 4개씩, 여학생은 2개씩 나누어 가지려고 합니다. 학생이 모두 6명일 때 남학생은 몇 명인지 예상하고 확인하는 방법으로 구하세요.

☆☆☆☆☆☆☆☆☆☆
☆☆☆☆☆☆☆☆☆☆
4명

2 화살 8발을 던져서 얻은 점수의 합이 18점입니다. 3점 과녁을 맞춘 화살은 몇 발인지 예상하고 확인하는 방법으로 구하세요.

5발

저자 톡! 이 단원에서는 예상하고 확인하여 문제를 해결하는 방법을 익혀 봅니다. 문제의 조건을 보고 답을 예상하고, 예상한 답이 조건을 만족하는지 확인하기를 반복하며 논리력, 추리력, 문제해결력을 길러 봅니다.

1
• 서아의 예상과 확인: 두 수가 1과 6일 때 합은 7, 차는 5이므로 합이 9라는 조건을 만족하지 않습니다.
• 민수의 예상과 확인: 두 수가 2와 7일 때 합은 9, 차는 5이므로 조건을 모두 만족합니다.
따라서 민수의 예상이 맞습니다.

2
3점을 4발 맞춘 경우부터 예상해 봅니다.
• 3점 4발, 1점 4발
  3+3+3+3+1+1+1+1=16(점)이므로 18점보다 낮습니다. 따라서 3점을 더 많이 맞추었을 것입니다.

• 3점 5발, 1점 3발
  3+3+3+3+3+1+1+1=18(점)이므로 예상이 맞습니다.
따라서 3점 과녁을 맞춘 화살은 5발입니다.

> **보충 개념**
> 3점을 1번 맞춘 경우부터 생각해도 되지만 예상하는 경우를 줄이기 위해 중간인 3점을 4번 맞춘 경우부터 생각해 봅니다.

최상위 사고력

남학생이 3명인 경우부터 예상해 봅니다.
• 남학생 3명, 여학생 3명
  4+4+4+2+2+2=18(개)이므로 20개보다 적습니다. 따라서 남학생은 3명보다 더 많을 것입니다.
• 남학생 4명, 여학생 2명
  4+4+4+4+2+2=20(개)이므로 예상이 맞습니다.
따라서 남학생은 4명입니다.

최상위 사고력

1 혜영이 모둠과 정아 모둠이 피구 경기를 하였습니다. 두 모둠의 점수의 합은 15점이고, 혜영이 모둠이 7점 차이로 이겼습니다. 표를 완성하고, 혜영이 모둠의 점수를 구하세요.

혜영이 모둠의 점수(점)	8	9	10	11	12	13	14	15
정아 모둠의 점수(점)	7	6	5	4	3	2	1	0
점수의 차(점)	1	3	5	7	9	11	13	15

11점

2 연우는 20쪽짜리 책을 매일 2쪽씩, 지우는 15쪽짜리 책을 매일 1쪽씩 읽고 있습니다. 두 사람이 가진 책의 남은 쪽수가 같아지는 날은 며칠째인지 구하세요.

5일째

3 금화 18개를 주머니 5개에 4개 또는 3개씩 나누어 담았습니다. 금화가 4개씩 담겨 있는 주머니는 모두 몇 개인지 구하세요.

3개

4 형우와 지아는 이기면 3점, 지면 1점을 얻는 가위바위보를 7번 하였습니다. 형우가 얻은 점수가 19점일 때 형우는 모두 몇 번 이겼는지 구하세요.

6번

1

혜영이 모둠의 점수가 정아 모둠의 점수보다 7점 높을 때는 혜영이 모둠이 11점, 정아 모둠이 4점일 때입니다.

2

연우의 책의 남은 쪽수는 2씩, 지우의 책의 남은 쪽수는 1씩 줄어듭니다. 따라서 두 사람이 가진 책의 남은 쪽수가 같아지는 날은 5일째입니다.

	처음	1일	2일	3일	4일	5일
연우 책의 남은 쪽수(쪽)	20	18	16	14	12	10
지우 책의 남은 쪽수(쪽)	15	14	13	12	11	10

해결 전략
책을 매일 2쪽씩, 1쪽씩 읽는 것은 남은 쪽수가 2쪽씩, 1쪽씩 줄어드는 것입니다.

3

먼저 주머니 5개에 금화를 3개씩 넣는 것을 ○로 나타내어 봅니다.

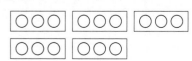

금화는 모두 3+3+3+3+3=15(개)이므로 18개가 되도록 ○ 3개를 더 그려 넣습니다.

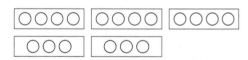

따라서 금화가 4개씩 들어 있는 주머니는 3개입니다.

4

먼저 형우가 4번 이기는 경우를 예상해 봅니다.
• 형우 4번, 지아 3번
3+3+3+3+1+1+1=15(점)이므로 19점보다 낮습니다. 따라서 형우가 이긴 횟수를 늘려야 합니다.
• 형우 5번, 지아 2번
3+3+3+3+3+1+1=17(점)이므로 19점보다 낮습니다. 따라서 형우가 이긴 횟수를 늘려야 합니다.
• 형우 6번, 지아 1번
3+3+3+3+3+3+1=19(점)이므로 예상이 맞습니다.
따라서 형우는 모두 6번 이겼습니다.

최상위 사고력 **10** 문제 해결 방법 찾기(2)

10-1. 옮기기

1 금화 1개를 옮겨서 가로줄과 세로줄에 놓인 금화의 수가 모두 3개가 되도록 만드세요.

2 구슬 2개를 옮겨서 네모 모양을 만드세요.

가장 적은 수의 구슬을 옮기는 방법은?

① 모양 겹치기   ② 겹쳐지지 않은 구슬 옮기기

모양을 겹친 후 겹쳐지지 않은 구슬을 옮겨요.

최상위 사고력 다음과 같이 ▽ 모양으로 볼링핀이 놓여 있습니다. 볼링핀을 옮겨 △ 모양이 되도록 만들려면 적어도 몇 개의 볼링핀을 움직여야 하는지 구하세요.

3개

저자 톡! 이 단원에서는 동전이나 구슬 등으로 만들어진 모양의 방향을 바꾸거나 한 줄에 놓는 개수가 주어진 수가 되도록 만드는 문제를 풀어 봅니다. 바꾸어야 하는 모양의 특징을 찾아 가장 적은 동전 또는 구슬을 이동하여 모양을 바꾸어 보며 공간감각을 길러 봅니다.

1

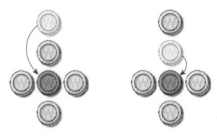

이외에도 금화를 옮기는 방법은 여러 가지입니다.

최상위
사고력

① 볼링핀이 놓인 모양과 △ 모양을 겹쳐 봅니다.

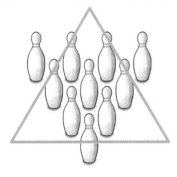

② 겹쳐지지 않은 볼링공을 빈 곳으로 옮깁니다.

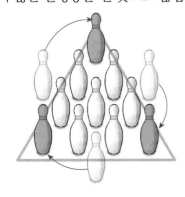

10-2. 성냥개비

1 성냥개비 3개를 옮겨서 물고기가 오른쪽을 보도록 만드세요.

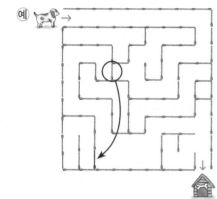
성냥개비를 옮겨 구슬을 꺼낼 때 주의할 점은?
모양은 변하지 않고 방향은 바뀌어도 돼요.

최상위 사고력 강아지가 집에 갈 수 있도록 성냥개비 1개를 옮기세요.

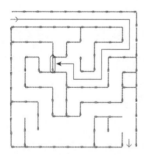
예

2 성냥개비로 컵 2개를 만들었습니다. 성냥개비 4개를 옮겨서 뒤집어진 컵 2개를 만드세요.

💡 컵의 모양과 크기는 똑같아야 해요.

저자 톡! 이번 단원에서는 성냥개비 퍼즐을 풀어 봅니다. 성냥개비로 만든 모양에서 성냥개비를 옮기거나 더하거나 빼서 모양 또는 방향을 바꾸어 보며 문제를 해결하는 새로운 시각을 길러 봅니다.

1

해결 전략
물고기의 머리 방향을 바꾸는 방법을 생각해 봅니다.

2

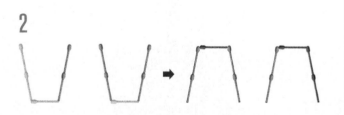

최상위 사고력

미로를 따라가다가 막힌 곳에 있는 성냥개비를 움직여야 합니다.

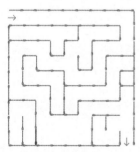

성냥개비는 길을 막지 않는 곳으로 옮겨야 합니다.

성냥개비를 옮기는 곳에 따라 답은 여러 가지입니다.

10-3. 이기는 게임

1 지우와 연우가 사탕 가져가기 게임을 합니다. 지우가 먼저 시작했을 때, 지우가 이기기 위해 처음에 무조건 가져가야 하는 사탕에 모두 ○표 하세요.

규칙
① 번갈아 가며 한 번에 사탕을 1개 또는 2개씩 가져갑니다.
② 2개를 가져갈 때는 이웃한 사탕만 가져갈 수 있습니다.
③ 더 많은 사탕을 가져가는 사람이 이깁니다.

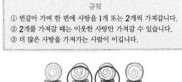
ⓐ   ⓑ   ⓒ   ⓓ

2 정아와 혜영이가 구슬 가져가기 게임을 합니다. 정아가 먼저 시작했을 때, 정아가 이기기 위해 처음에 몇 개의 구슬을 가져가야 하는지 구하세요.

규칙
① 번갈아 가며 한 번에 구슬을 1개 또는 2개씩 가져갑니다.
② 마지막 구슬을 가져가는 사람이 이깁니다.

2개

이기기 위해 가져와야 하는 구슬을 찾는 방법은?

규칙
① 번갈아 가며 한 번에 구슬을 1개 또는 2개씩 가져갑니다.
② 마지막 바둑돌을 가져간 사람이 이깁니다.

마지막에 가져가는 구슬   그 전에 가져야 하는 구슬
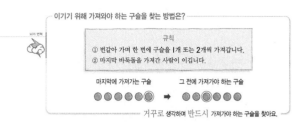
거꾸로 생각하며 반드시 가져가야 하는 구슬을 찾아요.

최상위 사고력 은우와 성수가 바둑돌 옮기기 게임을 합니다. 먼저 시작한 은우와 나중에 시작한 성수 중에서 항상 이기는 사람의 이름을 쓰세요.

규칙
• 번갈아 가며 바둑돌을 옮깁니다.
• 오른쪽으로 한 번에 1칸 또는 2칸 또는 3칸씩 옮깁니다.
• 바둑돌을 도착으로 옮긴 사람이 이깁니다.

은우

저자 톡! 이 단원에서는 필승전략이 있는 님 게임에 대해 알아봅니다. 님 게임은 두 사람이 번갈아 가며 구슬을 가져갈 때, 마지막 구슬을 가져가는 사람이 이기는 게임입니다. 거꾸로 생각하여 이기는 방법을 생각해 보며 논리력과 추리력, 문제해결력을 길러 봅니다.

1

• 지우가 사탕 4개 중 어떤 사탕 1개를 가져와도 연우가 남은 사탕 중 2개를 가져가면 두 사람이 갖는 사탕 수가 같습니다.
• 지우가 사탕 2개를 가져올 때 ㉠과 ㉡ 또는 ㉢과 ㉣을 가져오면 연우가 남은 사탕 2개를 가져가므로 두 사람이 갖는 사탕 수가 같습니다.
• 지우가 사탕 ㉡과 ㉢을 가져오면 연우는 남은 사탕 ㉠, ㉣ 중 하나를 가져가고, 남은 사탕을 지우가 가져가므로 지우는 사탕 3개, 연우는 사탕 1개를 가져갑니다.

따라서 지우가 이기기 위해 무조건 가져가야 하는 사탕은 ㉡, ㉢입니다.

2

정아가 이기려면 마지막 구슬을 가져가야 합니다.
마지막 구슬을 가져가려면 처음에 구슬 2개를 반드시 가져가야 합니다.
따라서 정아는 처음에 구슬 2개를 가져와야 합니다.

최상위 사고력

바둑돌을 도착으로 옮기려면 그 전에 반드시 ㉡칸으로 바둑돌을 옮겨야 합니다.
은우가 바둑돌을 ㉡칸으로 옮긴 다음 성수가 ㉢칸으로 1칸 옮기면 은우가 도착으로 3칸 옮길 수 있습니다.
또, 성수가 ㉣칸으로 2칸 옮기면 은우가 도착으로 2칸 옮길 수 있고, 성수가 ㉤칸으로 3칸 옮기면 은우가 도착으로 1칸 옮길 수 있습니다.
즉, 먼저 시작한 은우가 ㉡칸으로 바둑돌을 옮기면 그 다음 성수가 바둑돌을 몇 칸을 옮기든 항상 은우가 이깁니다.

해결 전략
도착에 바둑돌을 옮기기 위해 그 전에 바둑돌을 꼭 옮겨야 하는 칸은 어디인지 생각해 봅니다.

최상위 사고력

1 금화 1개를 옮겨서 가로줄과 세로줄에 놓인 금화의 수가 모두 4개가 되도록 만드세요.

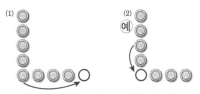

2 구슬을 옮겨 위, 아래가 뒤집힌 모양이 되도록 만들려면 적어도 몇 개의 구슬을 옮겨야 하는지 구하세요.

2개

3 쌓기나무 4개로 만든 모양을 성냥개비로 만든 것입니다. 성냥개비 1개를 옮겨서 쌓기나무 3개로 만든 모양을 만드세요.

4 소희와 범호가 번갈아 가며 젤리를 1개 또는 2개씩 가져갑니다. 마지막 젤리를 가져가는 사람이 이긴다고 할 때, 먼저 시작한 소희와 나중에 시작한 범호 중에서 이기는 사람은 누구인지 이름을 쓰세요.

범호

1

(1)   (2)

(2)는 금화를 옮기는 방법에 따라 답이 여러 가지입니다.

2

① 주어진 모양을 ⧖ 모양과 겹쳐 봅니다.

② 겹쳐지지 않은 구슬을 빈 곳으로 옮깁니다.

따라서 적어도 **2**개의 구슬을 옮겨 모양을 만들 수 있습니다.

3

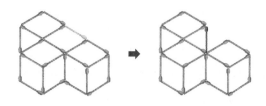

4

이기려면 마지막 젤리를 가져가야 합니다. 마지막 젤리를 가져가려면 그 전에 세 번째 젤리를 반드시 가져가야 합니다.

먼저 소희가 젤리 1개를 가져가면 범호가 젤리 2개를 가져가 세 번째 젤리를 가져가게 되고, 소희가 젤리 2개를 가져가면 범호가 젤리 1개를 가져가 세 번째 젤리를 가져가게 됩니다.

따라서 항상 범호가 세 번째 젤리를 가져가므로 이기는 사람은 범호입니다.

> **해결 전략**
> 이기기 위해 꼭 가져야 하는 젤리를 생각해 봅니다.

Review V 확률과 통계(2)

1 구슬 9개를 혜영이와 정아가 나누어 가지려고 합니다. 혜영이가 정아보다 구슬을 더 많이 가지는 경우는 몇 가지인지 구하세요. (단, 한 사람이 적어도 1개의 구슬은 가져야 합니다.)

4가지

2 토끼와 닭이 모두 8마리 있습니다. 두 동물의 다리 수가 모두 20개라고 할 때 토끼는 몇 마리인지 그림을 그려 구하세요.

2마리

3 2점짜리 문제와 3점짜리 문제가 모두 7문제 있습니다. 문제를 모두 맞혀서 얻은 점수가 17점일 때, 3점짜리 문제는 모두 몇 문제인지 예상하고 확인하여 구하세요.

3문제

4 구슬 2개를 옮겨서 모양은 변하지 않고 방향만 변하게 만드세요.

1

혜영이가 정아보다 구슬을 더 많이 가지는 경우는 다음과 같이 4가지입니다.

혜영이의 구슬 수(개)	1	2	3	4	5	6	7	8
정아의 구슬 수(개)	8	7	6	5	4	3	2	1

2

먼저 닭 8마리의 다리를 ○로 나타내어 봅니다.

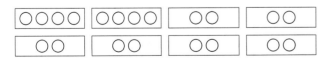

다리는 모두 2+2+2+2+2+2+2+2=16(개)이므로 20개가 되도록 ○ 4개를 더 그려 넣습니다.

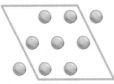

따라서 토끼는 2마리입니다.

보충 개념
토끼의 다리는 4개, 닭의 다리는 2개입니다.

3

3점짜리 문제를 4문제 맞힌 경우부터 예상해 봅니다.
• 3점짜리 문제 4개, 2점짜리 문제 3개
3+3+3+3+2+2+2=18(점)이므로 17점보다 높습니다. 따라서 3점짜리 문제 수를 줄입니다.
• 3점짜리 문제 3개, 2점짜리 문제 4개
3+3+3+2+2+2+2=17(점)이므로 예상이 맞습니다.
따라서 3점짜리 문제는 3문제입니다.

4

① 주어진 모양을 ▱ 모양과 겹쳐 봅니다.

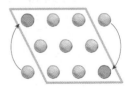

② 겹쳐지지 않은 구슬을 빈 곳으로 옮깁니다.

5 성냥개비 2개를 옮겨서 돼지가 오른쪽을 보도록 만드세요.

6 지웅이와 지원이가 사탕 가져가기 게임을 합니다. 지웅이가 먼저 2개를 가져갔을 때, 지원이가 이기려면 지원이는 몇 개를 가져가야 하는지 구하세요.

규칙
① 번갈아 가며 한 번에 사탕을 1개 또는 2개씩 가져갑니다.
② 마지막 사탕을 가져가는 사람이 이깁니다.

1개

5

6

마지막 사탕을 가져가려면 그 전에 세 번째 사탕을 반드시 가져가야 합니다

다음과 같이 사탕을 가져가야 지원이가 이길 수 있습니다.

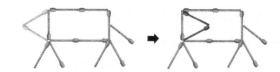

지웅 지웅 지원 지웅 지웅 지원

따라서 두 번째 차례에서 지원이는 사탕을 1개만 가져가야 합니다.

보충 개념
두 번째 차례에 지원이가 사탕 2개를 가져가면 지웅이가 마지막 사탕을 가져가게 됩니다.

지웅 지웅 지원 지원 지웅 지웅

MEMO

 **MEMO**

 MEMO

 MEMO

심화 완성 최상위 수학S, 최상위 수학

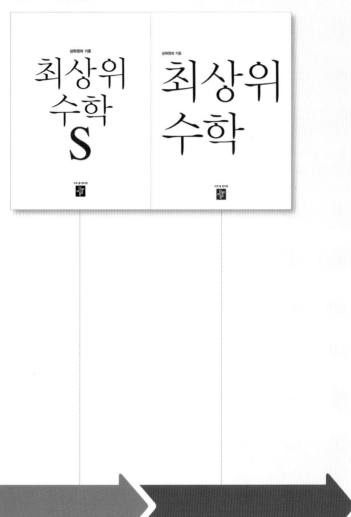

최상위 수학
S

최상위 수학

개념부터
심화까지

수학 좀 한다면

따라올 수 없는 자신감!
디딤돌 초등 라인업을 만나 보세요.

수준별 수학 기본서	디딤돌 초등수학 원리	3~6학년	교과서 기초 학습서
	디딤돌 초등수학 기본	1~6학년	교과서 개념 학습서
	디딤돌 초등수학 응용	3~6학년	교과서 심화 학습서
	디딤돌 초등수학 문제유형	3~6학년	교과서 문제 훈련서
	디딤돌 초등수학 기본+응용	1~6학년	한권으로 끝내는 응용심화 학습서
	디딤돌 초등수학 기본+유형	1~6학년	한권으로 끝내는 유형반복 학습서

상위권 수학 학습서	최상위 초등수학 S	1~6학년	심화 개념 · 심화 유형 학습서
	최상위 초등수학	1~6학년	심화 개념 · 심화 유형 학습서
	최상위 사고력	1~6학년	경시 · 영재 · 창의사고력 학습서
	3% 올림피아드	1~4과정	올림피아드 · 특목중 대비 학습서

연산학습 교재	최상위 연산은 수학이다	1~6학년	수학이 담긴 차세대 연산 학습서

국사과 기본서	디딤돌 초등통합본(국어·사회·과학)	3~6학년	교과 진도 학습서

국어 독해력	디딤돌 독해력	1~6학년	수능까지 연결되는 초등국어 독해 훈련서